CORRIGÉS

350

exercices
de grammaire

Y. Delatour, D. Jennepin
M. Léon-Dufour,
A. Mattlé, B. Teyssier

Cours de
Civilisation française
de la Sorbonne

HACHETTE F.L.E.
58, rue Jean-Bleuzen
92170 Vanves

Collection
Exerçons-nous

Titres parus ou à paraître

Pour chaque ouvrage, des corrigés sont également disponibles.

- **350 exercices de grammaire**
  - *niveau débutant*
  - *niveau moyen*
  - *niveau supérieur I*
  - *niveau supérieur II*

- **Orthographe de A à Z 350 règles, exercices, dictées**

- **350 exercices de français des affaires**

- **350 exercices de vocabulaire**

- **350 exercices de révision**
  - *niveau 1*
  - *niveau 2*
  - *niveau 3*

Maquette de couverture : Version Originale

ISBN : 2-01-017306-6
ISSN : 1142 – 768 X
© HACHETTE 1987, 79 boulevard Saint-Germain, F 75006 Paris.

S O M M A I R E

pages

CHAPITRE PREMIER - <u>LES ARTICLES</u>

p. 9 **1. A/** 1. un, une   2. des   3. des

B/
1. les, le   4. l'   6. la   8. les
2. la   5. le, l'   7. le   9. les
3. l'

C/
1. de la   3. de la   5. du, du, de l'   7. des
2. du   4. du   6. de l'

p. 10 **2. A/**
1. du   3. l'   5. des   7. l'
2. la   4. des   6. du

B/
1. au   3. l'   5. aux   7. l'
2. la   4. aux   6. l'

p. 10 **3.**
1. ...au professeur...   4. ...à l'enfant.
2. ...du syndicat.   5. ...au mur ...à la fenêtre.
3. Le résultat de l'examen   6. ...du dernier film...
    sera affiché demain.   7. ...de l'autre dictionnaire.

p. 11 **4.**
1. un, un   3. un   5. un
2. du   4. du   6. du

p. 11 **5.**
1. une, la   5. les   8. un
2. le   6. le, au   9. les, des, aux
3. une, le   7. un   10. les, des, des,
4. des   des, des, des

p. 11 **6. A/** 1. le, du, un   2. l', de l', un   3. le, du, un   4. un, du, le

p. 12 **7.**
1. article défini contracté   6. préposition + article défini
2. article défini contracté   7. article indéfini
3. article partitif   8. article défini contracté
4. article défini contracté   9. article partitif
5. article indéfini

p. 12 **8.** un. le, de la, les, du. un, la, un, des. le, les, la/une, les/des.

p. 12 **9. A/**
1. Il n'y a pas de lampe sur la table.
2. On ne voyait pas de lumière aux fenêtres.
3. Je n'ai pas acheté d'oeufs au marché.
4. Les Berger n'ont pas de jardin.
5. Les étudiants n'avaient pas de questions à poser.
6. On n'a pas trouvé d'uranium dans cette région.
7. Il n'avait pas de travail à faire.

B/
1. Ce n'est pas du thé de Ceylan.
2. Ce n'est pas un film en version originale.
3. Ce ne sont pas des touristes étrangers.

4. Ce n'est pas de l'or pur.

5. Ce ne sont pas des bonbons à la menthe.

p. 13 **10.**   1. Non, je n'ai pas d'ordinateur chez moi.

2. Non, je ne regarde pas régulièrement le journal télévisé.

3. Non, ils ne peuvent pas boire de vin.

4. Non, je ne fais pas la cuisine tous les jours.

5. Non, il n'y a plus de feuilles sur les arbres en décembre.

6. Non, je n'ai pas peur des araignées.

7. Non, je ne mets pas de sucre dans mon café.

8. Non, elle ne s'occupera plus de la bibliothèque de l'école l'an prochain.

9. Non, je ne porte pas de lentilles de contact.

10. Non, ce ne sont pas des fleurs naturelles.

11. Non, il n'y a pas de distributeur automatique de billets de banque dans le quartier.

12. Non, personne ne s'est servi des ciseaux.

p. 13 **11. A/** 1. ...des affiches...

2. ...de belles affiches...

3. ...des amis américains.

4. ...de très bons amis américains.

5. ...de nouveaux quartiers...

6. ...d'anciens camarades d'école.

B/ 1. ...des petits amis...

2. ...des jeunes gens très sympathiques.

3. ...des petites annonces intéressantes.

4. ...des petites filles... ...des jeunes filles.

5. ...des petites cuillères.

6. ...des gros mots.

7. ...des petits pois...

p. 14 **12.**   1. Il y a trop de vent.

2. Jean-Christophe a plus de temps...

3. ...un peu de crème...

4. Combien d'enfants les Forestier ont-ils ?

5. Y a-t-il assez de verres pour tout le monde ?

6. ...beaucoup d'étudiants étrangers.

7. Jean-Michel a peu d'amis.

p. 14 **13.**   1. ...un litre de lait.

2. ...deux kilos de pêches...

3. ...cinq mètres de tissu ...

4. ...une livre de beurre...

5. ...deux heures de tennis...

p. 14 **14.**   A. de cigarettes

B. de café au lait

C. de tulipes

D. de confiture

E. de vin

F. de jambon

G. d'eau

H. d'aspirine

I. de sucre en poudre

J. de pain

K. de dentifrice

p. 15 **15.**   A. cristal

B. soie

C. velours

D. paille

E. cuir

F. métal argenté

p. 15 **16. A/** 1. ...des clefs de voiture...

2. Les clefs de la voiture...

3. ...les dates des vacances...

5. ...les arrêts d'autobus.

6. L'arrêt de l'autobus 63...

7. ...une histoire de la France...

6

4. ...vos dates de vacances.   8. Ce livre d'histoire de France...

B/ 1. ...sa carte d'identité...   5. ...un acteur de cinéma...
   2. ...un livre de grammaire.   6. ...un billet de théâtre.
   3. ...une maison de campagne...   7. Dans ce magasin de sport...
   4. ...ton maillot de bain.

p. 15 **17.**   1. ...des enfants.../...d'enfants handicapés.
                2. ...d'actrices.../...des actrices qui viennent...
                3. ...de crayons feutres./...des crayons...
                4. ...de piles neuves...
                5. ...de maux de tête.
                6. ...des noms de ces personnes.

p. 16 **18.**   1. ...d'un mur...   7. ...de photos.
                2. ...d'eau.   8. ...de la mort...
                3. ...de photographes.   9. ...d'arbres.
                4. ...d'une nappe blanche.   10. ...de la préposition "à".
                5. ...de livres et de documents. 11. ...d'un complément...
                6. ...de neige.

p. 16 **19. A/** A. outils   C. papiers   E. ongles   G. lettres
                  B. main   D. lèvres   F. dents   H. pain

      B/ 1. Du café au lait   4. Une glace à la vanille
              2. Une tarte aux pommes   5. Un poulet à la crème
              3. Un croissant au beurre

p. 17 **20.**   A. sans fautes.   H. en réunion.
                B. avec du sucre   I. en bonne santé.
                C. avec prudence.   J. comme dessert.
                D. sans confort.   K. avec patience.
                E. avec un dictionnaire.   L. en mathématiques.
                F. sans manches.   M. en vacances.
                G. comme jeune fille au pair.

p. 17 **21. A/** la, au, d'une, du. la, pas d'article, un, de l'. de. un, la, les,
                  pas d'article, du.

      B/ le, pas d'article (3 fois), un, pas d'article, une, pas d'article.
              un, les, le, un. pas d'article, pas d'article. la. le. les. la,
              un.

CHAPITRE 2 - LES DEMONSTRATIFS

p. 19 **1.**   1. ce   4. cet   7. cet
               2. cette   5. cet   8. cet
               3. ces   6. ces   9. ce

p. 19 **2.** 1. Qui a cassé cette assiette ?
2. Cet exercice n'était pas très difficile.
3. Goûte cette pêche. Elle est délicieuse.
4. Ce village du Lubéron est très pittoresque.
5. Fais attention à cet enfant qui traverse la rue !
6. Ce journal paraît le soir.
7. J'ai rencontré cet ami au Club Méditerranée.

p. 20 **3.**

1. cet	3. ces	5. cette	7. cet
2. ce	4. ce	6. ce	8. cet

p. 20 **4. A/** 1. ...celui-ci n'a pas les mêmes couleurs que celui-là.
2. ...mais je vais prendre celle-là...
3. ...nous mangerons celles-ci à midi et celles-là au goûter.
4. ...mais ceux-là sont des copies.

B/ 1. ...mais celui de 8 h 02 est omnibus.
2. Cette opinion n'est pas celle de tout le monde.
3. ...celles de saint Michel, sainte Marguerite et sainte Catherine.
4. ...avec ceux de nos voisins.
5. ...ressemble à celui de Versailles.
6. ...mais elle ne s'intéresse jamais à celles des autres.
7. ...est bien différent de celui de Chateaubriand.

p. 21 **5.** 1. ...c'est sans doute celle de Xavier.
2. ...celle-ci ou celle-là ?
3. ...dans celui-là.
4. ...je vous conseille celui-là.
5. ...avant d'acheter celle où nous sommes maintenant.
6. ...ceux-ci sont en plastique, ceux-là sont métalliques.
7. ...particulièrement celles qui viennent du Périgord.
8. ...sauf ceux du rez-de-chaussée...

p. 21 **6.**

1. ce	3. ceux	5. ce	7. ceux
2. ceux	4. ce	6. ce	8. ceux

p. 21 **7.**

1. ce	4. cela	7. cela	10. cela, cela
2. cela	5. cela	8. ce	11. ce
3. c'	6. c'	9. cela	12. ce

p. 22 **8.**

1. ça me fait grossir	6. ça l'a rendu malade
2. ça lui fera plaisir	7. à ça
3. sans ça	8. avec ça
4. ça lui a beaucoup plu	9. ça lui faisait peur
5. comme ça	10. ça ne fait rien

CHAPITRE 3 - LES POSSESSIFS

p. 23 **1.**
1. mon, mon, ma, mes
2. ton, ta, tes
3. son, ses, sa
4. sa
5. nos, notre
6. vos, votre
7. leurs, leur
8. ses

p. 23 **2.**
1. ma
2. mon
3. ton
4. ta
5. sa
6. mon
7. sa

p. 24 **3.**
1. ma, mes
2. notre, nos
3. son, ses, son
4. leur, leurs, leur
5. son, ses
6. leurs, leurs
7. ton, tes
8. votre, vos

p. 24 **4.**
1. les miennes
2. le vôtre
3. des vôtres
4. le sien
5. le nôtre
6. les leurs
7. les miennes...les siennes
8. au tien

p. 25 **5.**
1. la nôtre
2. aux tiens
3. le sien
4. les siens
5. la tienne
6. des siens
7. la leur
8. la sienne

p. 25 **6. A/**
1. les
2. la
3. les
4. les
5. la

B/
1. le
2. la
3. la
4. les
5. la

C/
1. les, les
2. le
3. le, le
4. le, la
5. les

p. 25 **7.**
1. mon
2. les, les
3. le
4. la
5. ses
6. les
7. tes, ton
8. les
9. ton, ton
10. les

p. 26 **8. A/**
1. Oui, il est à moi. - Oui, c'est mon briquet. - Oui, c'est le mien.
2. Oui, elles sont à moi. - Oui, ce sont mes affaires de sport. - Oui, ce sont les miennes.
3. Oui, ils sont à nous/vous. - Oui, ce sont nos/vos disques. - Oui, ce sont les nôtres/les vôtres.

B/
1. Oui, elle est à elle. - Oui, c'est son écharpe. - Oui, c'est la sienne. - Oui, c'est celle de Béatrice.
2. Oui, il est à lui. - Oui, c'est son chien. - Oui, c'est le sien. - Oui, c'est celui du gardien.
3. Oui, ils sont à eux. - Oui, ce sont leurs vélos. - Oui, ce sont les leurs. - Oui, ce sont ceux de nos enfants.

C/
1. Oui, il leur appartient.
2. Non, ils ne lui appartiennent pas.
3. Oui, ils lui appartenaient.

p. 27 **9.**   1. Il est à Jean. C'est à Jean.

2. Elles sont à Judith. C'est à Judith.

3. Il est à moi. C'est à moi.

4. Ils sont à Florence. C'est à Florence.

5. Il est à votre mère. C'est à votre mère.

6. Elles sont à Antoine. C'est à Antoine.

p. 27 **10.**   1. A qui est cette valise ?

2. A qui sont ces skis ?

3. Est-ce que c'est le chien de vos voisins ?/Ce chien est-il celui de vos voisins ?

4. Cette maison appartient-elle à vos cousins ?

5. A qui est cette raquette de tennis ?

6. Est-ce que ce sont vos balles de tennis ?

7. Ce bateau est-il à vous ?

8. Est-ce que cette veste est à votre soeur ?

9. Ce dictionnaire vous appartient-il ?

10. Est-ce que ces affaires sont à vous ?/Ces affaires sont-elles à vous ?

CHAPITRE 4 - <u>IDENTIFICATION ET DESCRIPTION</u>

p. 29 **1.**   1. c', il   5. c', il   9. c', elle, c'

2. c', il, il   6. c', elle   10. c', elle

3. c', elle, elle   7. ce, ce, ils   11. c', il, il

4. c', il   8. c', il, il

p. 30 **2. A/**   1. C'est un compositeur français.

2. C'est Pasteur.

3. C'est un homme qui répare les chaussures.

4. C'est Descartes.

5. C'est Chagall.

6. C'est Louis XVI.

7. C'est un homme qui ne pense qu'à lui.

8. C'est...

9. Ce sont...

10. Ce sont les Belges, les Québécois, etc.

B/   1. C'est un bateau plat qui sert au transport des marchandises sur les rivières et les canaux.

2. C'est l'Organisation des Nations-Unies.

3. C'est un lieu de culte israélite.

4. C'est un instrument de musique.

5. C'est un sport.

6. C'était le palais des rois de France.

7. C'est le...

8. Oui, c'est un vin mousseux.

9. Ce sont la vue, l'ouïe, l'odorat, le toucher et le goût.

10. C'est "grossir".

11. C'est "j'enverrai".

12. C'est le lapin.

p. 30 **3.**
1. Elle est petite.
2. Elles sont hautes.
3. Oui, elles sont plus hautes.
4. Non, ils sont acides.
5. Il est très dur et brillant.
6. Elle est en or.
7. Elles sont en marbre, en bronze, etc.
8. Il a été froid.

p. 31 **4.**
1. Ils sont bruns.
2. Ils sont bleus.
3. Il était américain.
4. Je suis...
5. Elle est gothique./Elle est de style gothique.
6. Il est classique./Il est de style classique.

p. 31 **5.**
1. Il est dentiste.
2. Il est informaticien.
3. Non, il est architecte.
4. Non, elle est professeur.
5. Je veux être journaliste.
6. Il était pilote.
7. Il était cultivateur.

p. 31 **6.**
1. Il est très beau
2. C'est très beau.
3. Il est intéressant.
4. C'est très émouvant.
5. Elle est grande.
6. C'est très grand.
7. Il est agréable.
8. C'est pittoresque.

p. 32 **7.**
1. C' 2. Elle 3. c' 4. il 5. ce 6. Elle 7. Il 8. c' 9. C' 10. Il

p. 33 **9. A/**
1. Elle est dans ma poche.
2. Il est dans mon sac.
3. Ils sont dans leur pays.
4. Il est à Rome.
5. Elles sont à la bibliothèque.

B/
1. C'est en Suisse.
2. C'est dans l'Ouest de la France.
3. C'est en Europe du Nord.
4. C'est en Afrique.
5. C'est au nord de l'Angleterre.
6. C'est dans l'Est de la France.
7. C'est au sud de la France.
8. C'est dans la mer des Caraïbes.

p. 33 **10. A/**
1. La longueur de l'avenue des Champs-Elysées est de 1 880 m./Elle a 1 880 m de long./Elle mesure 1 880 m./Elle fait 1 880 m de long.
2. La largeur de ma rue est de 15 m./Elle a 15 m de large./Elle mesure 15 m./Elle fait 15 m de large.
3. La hauteur de l'Everest est de 8 880 m./Il a 8 880 m de haut./Il mesure 8 880 m./Il fait 8 880 m de haut.
4. La largeur d'un lit d'une personne est de 90 cm et sa longueur est de 1,90 m./Il a 90 cm de large et 1,90 m de long./Il mesure 90 cm de large et 1,90 m de long./Il fait 90 cm de large et 1,90 m de long.

B/
1. L'épaisseur de mon livre est de 2 cm./Il a 2 cm d'épaisseur./Il fait 2 cm d'épaisseur.
2. La profondeur d'un réfrigérateur est de 80 cm./Il a 80 cm de profondeur./Il fait 80 cm de profondeur.
3. La profondeur du petit bain est de 70 cm./Il a 70 cm de profondeur./Il fait 70 cm de profondeur.
4. L'épaisseur d'une belle moquette est de 3 cm./Elle a 3 cm d'épaisseur./Elle fait 3 cm d'épaisseur.

p. 34 **11.**
1. Je mesure 1,70 m./Je fais 1,70 m.
2. Je chausse du 40./Je fais du 40.
3. Je pèse 60 kg./Je fais 60 kg.
4. Je fais du 42.

p. 34 **12.**
1. La température est de 30°.
2. La distance de Paris à Munich est de 800 km.
3. La population de la France était de 54,8 millions.
4. La durée des vacances de Noël est généralement de deux semaines.
5. Mon salaire est de 10 000 F par mois.
6. La valeur de 100 yens était de 3,85 F.
7. L'augmentation du prix de l'essence sera de 3%.
8. La production de café de la Colombie a été de 724 millions de tonnes.
9. Le loyer de mon appartement est de 3 000 F par mois.
10. La consommation de cette voiture est de 10 litres au cent.

CHAPITRE 5 - LA MISE EN RELIEF

p. 35 **1.**
1. C'est à l'automne qu'on fait les vendanges.
2. C'est à cet endroit que j'ai trouvé des champignons.
3. C'est là qu'habitait ma grand-mère.
4. C'est pour lui faire plaisir que je l'ai accompagné au cinéma.
5. C'est en construisant un parking qu'on a découvert ces objets gallo-romains.
6. C'est pour des raisons politiques qu'il a quitté son pays.
7. C'est parce qu'il n'a pas une assez bonne vue qu'il n'a pas pu devenir pilote.
8. C'est au moment où les pommiers sont en fleurs que la Normandie est magnifique.
9. C'est à cause d'une panne d'ordinateur que vous ne pouvez pas réserver vos places.
10. C'est grâce à la vaccination que la variole a disparu.

p. 35 **2.**
1. C'est en 1985 que je suis allé en Irlande.
2. C'est en suivant des cours à l'université de sa ville qu'il l'a appris.
3. C'est au Louvre qu'elle se trouve.
4. C'est en regardant les petites annonces que je l'ai trouvé.
5. C'est à Florence que je l'ai acheté.
6. C'est en 1957 qu'Albert Camus a obtenu le prix Nobel de littérature.
7. C'est en jouant avec des ciseaux qu'il s'est blessé.
8. C'est avec mon cousin Stéphane que j'en fais.

p. 36 **3.**
1. ...ce qu'ils préfèrent, c'est la mousse au chocolat.
2. Ce que j'aimerais, c'est une bonne tasse de thé.
3. Ce qui l'intéresse avant tout, c'est l'argent.
4. Ce qui me fait peur pour l'examen, c'est la dictée.
5. Ce qu'elle craint par-dessus tout, c'est la solitude.
6. Ce qui inquiète les démographes, c'est la baisse de la natalité en Europe.

7. Cet été, ce que je voudrais faire, c'est une randonnée dans les Vosges.

8. Ce que vous devriez acheter, c'est un lave-vaisselle.

p. 36   **4.**   1. C'est ce tableau-là que je préfère.

2. C'est moi qui ai appris à lire à mon fils.

3. C'est justement ce que je voulais faire.

4. C'est le président lui-même qui vous recevra.

5. C'est la tour Eiffel que les enfants veulent voir en premier.

6. Ce sont les Américains qui sont allés les premiers sur la Lune.

7. C'est Armand qui ira chercher sa petite soeur à l'école.

8. C'est la batterie qu'il faut changer.

CHAPITRE 6 - <u>LES INDEFINIS</u>

p. 37   **1.**
1. quelqu'un	4. on	7. quelqu'un	10. On
2. quelque chose	5. quelques-uns	8. tout le monde	
3. tout le monde	6. quelque part	9. quelques-unes	

p. 37   **2.**   1. Non, je ne veux rien boire.

2. Non, je n'ai rien entendu.

3. Non, personne n'a téléphoné.

4. Non, je ne connais personne.

5. Non, je n'ai écrit à personne.

6. Non, je n'ai vu personne en sortir.

7. Non, personne n'a rien compris.

8. Non, personne n'a rien dit.

9. Non, je ne les vois nulle part.

10. Non, on ne peut la trouver nulle part.

p. 38   **3.**   1. ...aucune ne leur convenait.

2. ...nous n'en avons acheté aucun.

3. ...aucune n'était chez elle.

4. ...aucun d'entre eux n'exerce la profession de notre père.

5. Aucune reproduction ne peut rendre...

6. ...il n'y a aucun danger.

p. 38   **4. A/**   1. Non, il n'y a rien d'intéressant.

2. Non, je n'ai rien d'autre à faire.

3. Non, je ne connais personne de compétent.

4. Non, personne d'autre ne veut parler.

B/   1. ...d'intéressant, de distrayant...

2. ...de sympathique, de très intelligent.

3. ...de drôle, d'amusant.

4. ...d'intéressant, de sympathique.

5. ...d'intéressant, d'extraordinaire.

6. ...d'important, de spécial...

7. ...de nouveau.

8. ...d'avare, d'économe.

p. 39 **5. A/** 1. J'ai fait une faute/quelques fautes/plusieurs fautes./Je n'ai fait aucune faute.

2. Je prendrai une photo/quelques photos/plusieurs photos./Je ne prendrai aucune photo.

3. J'avais posé une question/quelques questions/plusieurs questions./Je n'avais posé aucune question.

4. Il y a eu un blessé/quelques blessés/plusieurs blessés./Il n'y a eu aucun blessé.

B/ 1. J'en ai fait une./J'en ai fait quelques-unes./J'en ai fait plusieurs./Je n'en ai fait aucune.

2. J'en prendrai une./J'en prendrai quelques-unes./J'en prendrai plusieurs./Je n'en prendrai aucune.

3. J'en avais posé une./J'en avais posé quelques-unes./J'en avais posé plusieurs./Je n'en avais posé aucune.

4. Il y en a eu un./Il y en a eu quelques-uns./Il y en a eu plusieurs./Il n'y en a eu aucun.

p. 39 **6.** 1. Il y a d'autres tableaux...

2. ...En veux-tu d'autres ?

3. ...Je voudrais en essayer d'autres.

4. ...il y en a d'autres cet après-midi.

5. ...besoin d'autres feuilles de papier...

6. Avez-vous envie d'autres gâteaux ?

7. ...mais celles des autres pièces sont plus grandes.

8. ...les jouets des autres petites filles...

p. 39 **7.** 1. les unes...les autres   6. des autres

2. dans l'un...dans l'autre   7. les uns...d'autres

3. une autre   8. des autres

4. d'autres   9. l'une...l'autre

5. les autres   10. un autre

p. 40 **8.** 1. n'importe quoi   5. n'importe quel   9. n'importe quand

2. n'importe comment   6. n'importe qui   10. n'importe où

3. n'importe où   7. n'importe quoi

4. n'importe quelle   8. n'importe lequel

p. 40 **9. A/** 1. toute   3. tous   5. tout   7. toutes

2. toutes   4. toutes   6. tous

B/ 1. toute   3. toute   5. toute

2. tout   4. toute

C/ 1. tous   3. tout   5. toutes   7. toutes

2. tout   4. tous   6. tout   8. tout

p. 41 **10.** 1. Tous sont fermés.../Ils sont tous fermés...

2. Tous décollent de Roissy./Ils décollent tous de Roissy.

3. Toutes sont perpendiculaires.../Elles sont toutes perpendiculaires...

4. Je ne les ai pas tous lus.

5. Je les ai tous lavés.

6. Toutes seront fermées./Elles seront toutes fermées.

7. On les a presque toutes remplacées...

8. Faites-les tous pour demain !

p. 41 **11.**
1. Il a tout vendu.
2. En Italie, tout lui a plu.
3. Au mois d'août, tout est complet sur la Côte d'Azur.
4. Avec cette colle, vous pouvez tout coller.
5. Dans la cuisine, il faudra tout nettoyer.
6. Mon mari sait tout faire dans la maison.

p. 42 **12.**

1. tout	3. tout	5. tout	7. tous
2. toutes	4. tous	6. toutes	8. toutes

p. 42 **13.**

1. tout	5. tout(e)	9. tout	13. toutes
2. tout	6. toutes	10. tout(e)	14. toute
3. toute	7. tout	11. tout, tout	
4. tout	8. tout	12. tout	

p. 42 **14.**

1. tout à l'heure	4. en tout cas	7. en tout
2. tout de suite	5. tout à coup	8. malgré tout
3. tout à fait	6. de toutes façons	

p. 43 **15. A/** toute, tout, tout(e), tout, tout, toute, tout.

B/ toute, tous, tout, tout, tous.

p. 43 **16.**
1. ...à chaque joueur./...à chacun des joueurs.
2. Chaque appartement.../Chacun des appartements...
3. ...dans chaque chambre.../...dans chacune des chambres...
4. Sur chaque article.../Sur chacun des articles...
5. Dans chaque grande ville.../Dans chacune des grandes villes...

p. 43 **17.**

1. chacune	3. Chacun	5. chacune
2. chacun	4. chaque	6. chaque

CHAPITRE 7 - LES PREPOSITIONS

p. 45 **1.**

1. à	6. au	11. à	16. avec
2. de	7. de	12. sur	17. à
3. au	8. de, au	13. d'	18. en
4. en	9. du	14. d'	19. de
5. à/avec	10. à	15. avec	20. du

p. 46 **2.**

1. de	4. de	7. de	10. à
2. à	5. à	8. à	
3. de	6. à	9. de	

p. 46 **3.**

1. à	5. à	9. à	13. à
2. de	6. à	·10. d'	14. d', de
3. par, par	7. de	11. à	15. à
4. à, par	8. à, à	12. au	

p. 47 **5.**

1. de	7. de	13. au	19. pour
2. de	8. de	14. à	20. à
3. de	9. à	15. de	21. à
4. au	10. d'	16. en	22. de
5. aux	11. de	17. de	23. pour
6. de	12. des	18. dans	

p. 48 **6.**

1. en	6. en	11. à	16. d'
2. de	7. à	12. de	17. à
3. à	8. d'	13. à	18. d'
4. de	9. de	14. pour	
5. pour	10. avec	15. à	

p. 48 **7.**

au/du Japon	en/d'Allemagne	en/d'Argentine
à/de Marseille	en/d'Iran	au/du Mexique
en/de Hollande	en/de Syrie	au/du Havre
aux/des Etats-Unis	en/de Corse	

p. 49 **8.**

1. à, en	7. dans	13. sur	19. de
2. dans	8. chez	14. dans	20. à
3. par, par	9. à	15. au	21. dans
4. sur	10. dans	16. au	22. sur
5. à	11. au	17. par	23. en
6. à	12. dans	18. pendant, en	

p. 49 **9.**

1. au-dessus de	7. par	13. pour	19. à
2. sans	8. par, sous	14. pour	20. dans, dans
3. contre	9. sans	15. sur	21. de, par
4. de	10. sauf	16. pour	22. à
5. en, par, en	11. au	17. sur	
6. avec	12. jusqu'à	18. sur	

p. 50 **10.**

A. ...hors de prix.
B. ...classés par ordre alphabétique.
C. ...a été construit sous Louis XIV.
D. ...très mûr pour son âge.
E. ...il m'a prise pour ma soeur.
F. Parmi vous...
G. ...tout fini au bout d'une demi-heure.
H. ...les propos d'une personne entre guillemets.
I. D'après les sondages...
J. ...j'en ai eu pour plus de 10 000 francs.
K. ...quant à moi, je ne prendrai qu'un café.
L. En 1980, un Français sur deux...
M. ...reçoit à son cabinet à partir de 15 heures.

CHAPITRE 8 - LES ADVERBES

p. 51 **1. A/** Doucement, complètement, premièrement, sérieusement, vivement, nettement, certainement, facilement, franchement, exceptionnellement.

B/ Evidemment, violemment, fréquemment, patiemment, récemment, couramment, suffisamment, constamment, bruyamment, inconsciemment.

C/ Modérément, gentiment, joliment, gaiement, absolument, aisément, poliment.

p. 51 **2.**
1. confortable, confortablement
2. gratuitement, gratuit
3. objectif, objectivement
4. brièvement, bref
5. rapide, rapidement
6. sec, sèchement

p. 52 **3.**
1. bons, bon
2. cher, chères
3. haute, haut
4. dur, dur
5. fortes, fort
6. faux, fausses
7. droite, droit

p. 53 **4.**
1. Il a déjà neigé.
2. Il a beaucoup plu.
3. Elle a toujours porté des lunettes.
4. Ce plombier a très bien travaillé.
5. Vous n'avez pas assez mangé.
6. J'ai mal compris votre explication.
7. M. Girodet a peu parlé.
8. Cet enfant a vite appris à lire.
9. J'ai mieux dormi.
10. Il est sûrement arrivé à 8 heures.
11. Cet expert s'est rarement trompé...
12. Il a enfin avoué la vérité.

CHAPITRE 9 - LES PRONOMS PERSONNELS

p. 55 **1.**
1. elle
2. toi, moi
3. vous
4. eux
5. moi
6. toi
7. lui
8. moi
9. lui
10. elle
11. lui
12. moi
13. elle
14. lui
15. eux
16. soi

p. 56 **2.**
1. moi
2. elle
3. soi
4. eux
5. vous
6. soi
7. lui
8. toi
9. soi
10. nous

p. 56 **3. A/**
1. Oui, j'en mets.
2. On en boit pour les grandes occasions.
3. Oui, il y en a quelquefois.
4. Oui, il en a acheté une.
5. Oui, j'en connais un.
6. Oui, j'en ai une autre à poser.
7. Oui, j'en ai un (rouge).
8. Oui, j'en reçois souvent.

9. Oui, il en manque deux.

10. Oui, il y en aura d'autres.

B/
1. J'en fais trois.
2. Oui, j'en ai plusieurs.
3. Oui, il en reste trois.
4. Oui, on en fait beaucoup.
5. Oui, j'en ai lu quelques-uns.
6. Oui, il y en a trop.
7. Non, il y en a moins en février.
8. Oui, il en reste assez.

C/
1. Non, je n'en ai jamais mangé.
2. Non, il n'y en a plus.
3. Non, il n'y en a qu'un.
4. Non, il n'y en a qu'une.
5. Non, il n'y en a pas.
6. Je n'en ai aucun.
7. Non, il n'y en a encore jamais eu.
8. Non, il n'y en a pas.

p. 57 **4.**
1. La concierge le nettoie...
2. Je l'ai oublié...
3. Tu le reliras...
4. Il l'a conduite...
5. Nos grands-parents ne la connaissent pas...
6. Ce journaliste les a prises...
7. ...Mozart l'a écrite...

p. 57 **5.**
1. Oui, je le connais.
2. Il l'a rencontrée à Paris.
3. Je les écoute le soir.
4. Oui, il l'a amélioré.
5. Il faut que je la rende demain.
6. On les range dans le tiroir d'un buffet.
7. Oui, je la regarderai.

p. 58 **6.**
1. Oui, je les connais tous.
2. Oui, j'en connais quelques-uns.
3. Oui, je les ai tous visités.
4. Oui, j'en ai visité quelques-uns.
5. Oui, je les mets toutes dans un album.
6. Oui, j'en ai quelques-unes sur moi.
7. Oui, on les a toutes bues.
8. Oui, il en reste quelques-unes.

p. 58 **7.**
1. en, les	4. en	7. le	10. l'
2. le	5. les	8. en, la	
3. l'	6. en	9. l'	

p. 58 **8.**
1. m'	3. se	5. nous	7. se
2. vous	4. s'	6. se	8. te

p. 59 **9.**
1. Prends-le ! Ne le prends pas !
2. Attendez-moi ! Ne m'attendez pas !
3. Poses-en une ! N'en pose pas !
4. Assieds-toi ! Ne t'assieds pas !
5. Ouvrez-la ! Ne l'ouvrez pas !
6. Ajoutez-en ! N'en ajoutez pas !
7. Fermons-les ! Ne les fermons pas !
8. Arrêtons-nous ! Ne nous arrêtons pas !

p. 59 **10.**
1. le	3. la	5. les	7. vous
2. moi	4. toi	6. en	8. me, moi

18

p. 59 **11.**   1. en   3. les   5. le
         2. Vous   4. me   6. en

p. 60 **12.**   1. Oui, j'en ai besoin.
         2. Oui, j'en suis sûr.
         3. Oui, ils en ont presque tous peur.
         4. Oui, j'en change souvent.
         5. Oui, ma mère en joue.
         6. Oui, j'en veux bien la moitié.
         7. Oui, on en parle souvent.
         8. Oui, j'en ai très envie.

p. 60 **13. A/** 1. Oui, j'y suis déjà allé.   4. Oui, j'y reviendrai un jour.
           2. Non, il n'y a pas toujours   5. Oui, j'y serai encore.
              habité.   6. Oui, j'irai.
           3. Ils y entrent à...

         B/ 1. Oui, j'y suis abonné.   4. Oui, j'y ai pensé.
           2. Ils y ont renoncé parce qu'ils 5. Oui, j'y ai déjà joué.
              sont tombés malades.   6. Oui, j'y répondrais volontiers.
           3. Oui, j'y ai bien réfléchi.

p. 60 **14.**   1. Oui, j'en souffre.   5. Oui, j'en ai profité.
         2. Oui, il y réside   6. Oui, il y participera.
            officiellement.   7. Oui, j'en suis content.
         3. Oui, il en manque.   8. Oui, j'y crois.
         4. Oui, elles y sont.

p. 61 **15.**   1. y   4. y   7. en
         2. en   5. y   8. y
         3. y   6. en   9. en

p. 61 **16. A/** 1. ...on leur parle peu.
           2. Je lui ai expliqué...
           3. Elle ne leur a pas demandé la permission.
           4. Le laboratoire lui enverra...
           5. ...le droit de vote leur a été accordé en 1946.

         B/ 1. Oui, je lui ressemble.   6. Oui, elle leur appartient encore.
           2. Oui, elle me manque.   7. Oui, ils se parlent en français.
           3. Oui, il leur a plu.   8. Oui, il m'écrit souvent.
           4. Il te va bien.   9. Je lui offrirais des livres.
           5. Oui, elle me convient.   10. Oui, on t'a téléphoné.

p. 61 **17.**   1. l'   3. l'   5. l'   7. leur
         2. l', lui   4. lui   6. leur, les   8. l'

p. 62 **18.**   1. Raconte-moi la fin... Ne me raconte pas la fin...
         2. Téléphonez-nous... Ne nous téléphonez pas...
         3. Prête-lui de l'argent ! Ne lui prête pas d'argent !
         4. Donnez-leur quelque chose... Ne leur donnez rien à boire !

19

5. Envoie-lui cette lettre ! Ne lui envoie pas cette lettre !

p. 62 **19.**
1. Quand avez-vous rencontré Marc ?
2. Combien de journaux y a-t-il sur le bureau ?
3. Est-ce que ta soeur fait du piano ?
4. Quand tes enfants jouent-ils au tennis ?
5. N'allez-vous jamais au théâtre ?
6. Le professeur parle-t-il aux étudiants dans leur langue maternelle ?
7. As-tu lu tous les romans de Camus ?
8. Qu'est-ce que ton mari t'a offert pour ton anniversaire ?
9. Est-ce que quelqu'un vous a aidés à faire ce travail ?
10. N'as-tu pas encore écrit à ta grand-mère ?

p. 62 **20.**
1. Je lui en ai emprunté.
2. Le professeur leur en a posé.
3. Je ne m'en souviens plus.
4. ...il lui en manque plusieurs.
5. Vous leur en donnerez quelques-uns...
6. Je t'en offrirai une...
7. Je ne m'en sers pas souvent...

p. 63 **21.**
1. Oui, je t'en enverrai une.
2. Il nous en reste trois.
3. Oui, il s'en occupera lui-même.
4. Oui, il m'en faut un.
5. Oui, je lui en ai parlé.

p. 63 **22.**
1. ...offrez-lui en une !
2. ...rapporte-m'en un paquet !
3. ...ne t'en sers pas !
4. ...Donnez-m'en quatre !
5. ...passe-lui en une !

p. 63 **23.** **A/**
1. ...je la lui prêterai.
2. Tu la leur demanderas.
3. Je les lui ai tous rendus.
4. Tu les leur indiqueras bien.
5. Je ne le lui ai pas encore payé.

B/
1. Je te la recommande.
2. Elle nous la donnera demain.
3. ...vous les lavez-vous ?
4. Elle ne se le rappelait plus.
5. On me l'a volée.

p. 63 **24.**
1. Ils me l'ont offert pour Noël.
2. Oui, elle se les fait elle-même.
3. Je te les ramènerai à 5 heures.
4. Oui, je les lui ai tous rapportés.
5. Oui, je les leur laisserais.
6. Oui, on me les a demandés.

p. 64 **25.**
1. ...te la...   3. ...nous la...   5. ...les leur...
2. ...la lui...   4. ...me les...

p. 64 **26.**
1. Donne-la-moi !   3. Présentez-le-lui !   5. Ne vous les lavez
2. Remettez-les-lui !   4. Montrez-les-nous !   pas...

p. 64 **27.**
1. Racontez-le-nous ! Ne nous le racontez pas !
2. Achetez-le-lui ! Ne le lui achetez pas !
3. Parle-leur-en ! Ne leur en parle pas !
4. Prête-les-lui ! Ne les lui prête pas !
5. Demandez-le-leur ! Ne le leur demandez pas !
6. Donnez-m'en d'autres ! Ne m'en donnez pas d'autres !

p. 64 **28.** 1. Je les y emmènerai...   4. Je m'y intéresse beaucoup.
      2. Nous t'y accompagnerons...   5. ...nous l'y conduisons...
      3. Elle s'y est inscrite...

p. 65 **29.** 1. Oui, elle me l'apporte chaque matin.
      2. Non, elle ne m'en a pas apporté.
      3. Oui, elle m'en a donné.
      4. Non, elle ne me les a pas donnés.
      5. Oui, je lui en ai envoyé une.
      6. On se les lave avec du dentifrice.
      7. Non, elle ne s'y est pas opposée.
      8. Non, ils ne leur en donnent pas tous.
      9. Oui, il nous les a montrées.
      10. Oui, je m'y suis habitué.

p. 65 **30. A/** 1. ...dépend totalement d'elle.
      2. Son avenir en dépend.
      3. Tu t'en occuperas...
      4. Ma mère s'occupe beaucoup d'eux.
      5. ...on ne peut pas se passer d'elle.
      6. ...je ne peux plus m'en passer.

   B/ 1. J'ai bien pensé à lui...
      2. Nous y avons repensé...
      3. Cette institutrice s'intéresse beaucoup à eux.
      4. Mon frère ne s'y intéresse guère.
      5. Il s'y attache trop.
      6. Mon fils s'est beaucoup attaché à elle.
      7. M. Fontaine s'y est présenté.
      8. Faut-il que je me présente à lui...

p. 66 **31. A/** 1. Je sais y jouer.
      2. Beaucoup de gens aiment les regarder.
      3. Va les chercher à 5 heures !
      4. Elle ne pourra pas lui en parler...
      5. Je viens d'en retirer...
      6. ...je ne vais pas y aller cet été.

   B/ 1. Nous l'avons fait repeindre.
      2. ...de les regarder passer.
      3. Tout le monde en a entendu parler.
      4. Ecoutez-la jouer...
      5. ...vous l'avez laissé tomber.
      6. Je vais me les faire couper.
      7. ...je la sens venir.
      8. L'as-tu vu sortir ?

   C/ 1. ...de l'avoir vendu.   4. Va en acheter !
      2. L'avez vous entendu   5. Tu m'y feras penser.
         sonner ?   6. Il faudrait lui demander conseil.
      3. Il faut les laisser cuire...

p. 66 **32. A/** 1. Non, je ne le sais pas.   3. Si, on me l'a dit.
            2. Oui, je le pense.   4. Oui, je le sais.

         B/ 1. Oui, elle le sera.   4. Ils le sont depuis trente-cinq ans.
               2. Non, ils ne le sont pas.   5. Il l'a été cinq ans.
               3. On le devient à dix-huit ans.

p. 67 **33.** 1. ce poème   5. que nous allions   8. réélu député
            2. qu'il est gravement   nous marier   9. qu'il a 45 ans
                malade   6. d'arrêter de fumer   10. Bertrand
            3. gaie   7. comment tout cela
            4. votre conseil   va se terminer

p. 67 **34.** 1. Nous pourrions le leur proposer.
            2. Akiko me l'a promis.
            3. Dis-le lui !
            4. On le leur demande...
            5. ...ses parents le lui permettront.
            6. On me l'a conseillé.
            7. Ses parents le lui interdisent.
            8. Vous le lui direz.

p. 67 **35.** 1. J'en suis certain.
            2. Beaucoup de jeunes en ont envie.
            3. Penses-y !
            4. Les Smith en ont-ils l'intention ?
            5. ...Y tiens-tu vraiment ?
            6. Je ne m'y attendais pas.
            7. Paul n'en a pas l'habitude.
            8. Je n'en ai pas encore eu le temps.

p. 68 **36.** 1. Je m'en aperçois.
            2. Je m'en suis aperçu.
            3. Elle en est toujours très sûre.
            4. J'en suis sûr.
            5. Il ne s'en est pas rendu compte.
            6. Tout le monde s'en rend compte.
            7. Nous en sommes ravis.
            8. J'en suis ravie.

p. 68 **37.** 1. Vas-tu dire à ton père que tu as cassé son rasoir électrique ?
            2. Ta cousine s'est-elle déjà inscrite à l'université ?
            3. Donne-t-on du café aux enfants ?
            4. Est-ce que tu veux bien me prêter tes disques ?
            5. Qui fera visiter l'appartement aux futurs locataires ?
            6. Jean est-il majeur ?
            7. Es-tu sûr de ce que tu dis ?
            8. Ne t'a-t-on jamais parlé de cette histoire ?
            9. Sais-tu où est la clé du garage ?
           10. Quand pourrai-je montrer mes devoirs au professeur ?

p. 68 **38. A/** s'. le. leur, la leur. leur, en, le.

B/ m'. en, moi, y, en. me, m'en.

C/ se. tu. toi. t'. te l'. y. les, te les. nous l'. les moi !
les, moi, te les.

p. 69 **40.**

1. l'	4. ça	7. l'	10. l'
2. l'	5. l'	8. ça	11. l'
3. ça	6. ça	9. ça	12. ça

CHAPITRE 10 - <u>LES PRONOMS RELATIFS</u>

p. 71 **1. A/**

1. qui	3. qui	5. qu'
2. que	4. que	6. qui

B/

1. que	3. qui	5. qui
2. que	4. que	6. qui

p. 72 **2.**

1. Ma soeur achète tous les disques de ce chanteur dont on parle beaucoup. (compl. de verbe)
2. Paul avait inventé un jeu dont les règles étaient très simples. (compl. de nom)
3. Ce passage est extrait d'un roman dont j'ai oublié le titre. (compl. de nom)
4. Je vais te rendre ta machine à écrire dont je n'ai plus besoin. (compl. de verbe)
5. Mon cousin Hervé m'a raconté des histoires de famille dont je ne me souvenais plus très bien. (compl. de verbe)
6. Cécile a rencontré un jeune Allemand dont la famille est d'origine française. (compl. de nom)
7. Patrick vient d'acheter une superbe chaîne stéréo dont il est très fier.(compl. d'adjectif)
8. Ils ont fini par faire ce voyage dont ils rêvaient depuis des années. (compl. de verbe)

p. 72 **3. A/**

1. Le Périgord est une région de France où (l')on produit...
2. ...boutique de prêt-à-porter où (l')on trouve...
3. ...un après-midi où il y avait un vent fou...
4. ...un jour où il pleuvait beaucoup.
5. ...une fête où nous avons rencontré...
6. ...une année où il y a eu un très violent cyclone.
7. ...à une époque où (l')on ne savait pas guérir la tuberculose.
8. ...un endroit où (l')on cultive...

B/

1. là où	3. par où	5. partout où
2. d'où	4. d'où	6. d'où

p. 73 **4.**

1. ...les Rollin avec qui nous avons fait un voyage en Egypte l'hiver dernier.
2. ...un plan de Paris sur lequel les sens uniques sont indiqués.

3. ...un médicament sans lequel il ne peut pas dormir.

4. ...une photo de famille à laquelle je tiens beaucoup.

5. ...de vieux vêtements avec lesquels ils vont se déguiser.

6. ...des détails auxquels je ne pense jamais.

7. ...M. Lenoir à qui il voulait poser quelques questions.

8. ...garçon très sérieux en qui on peut avoir confiance.

9. ...des chaises anciennes sur lesquelles on est très mal assis.

10. ...ma tante Albertine chez qui je passais toujours mes vacances dans mon enfance.

p. 73 **5.** C'est un ami que je connais depuis longtemps/sur qui tu peux compter/qui habite à Lyon/à qui j'écris souvent/en qui j'ai confiance/avec qui je sors souvent/dont la soeur est journaliste à la télévision.

C'est un livre qui m'a passionné/dans lequel il y a de très jolies photos/ que le professeur nous a conseillé de lire/dont le professeur nous a conseillé la lecture/auquel je tiens beaucoup/dont le succès est immense/ sur lequel j'ai été interrogé à l'examen.

Ce sont des livres qui m'ont passionné/dans lesquels il y a de très jolies photos/que le professeur nous a conseillé de lire/dont le professeur nous a conseillé la lecture/auxquels je tiens beaucoup/dont le succès est immense/sur lesquels j'ai été interrogé à l'examen.

p. 74 **6.** 1. ...un lac magnifique autour duquel il y a de hautes montagnes.

2. ...cette avenue au bout de laquelle vous trouverez le château.

3. ...un roman de Flaubert à la fin duquel l'héroïne se suicide.

4. ...un phare près duquel beaucoup de vacanciers venaient pêcher.

5. ...une grande cheminée au-dessus de laquelle un portrait de mon arrière-grand-père est accroché.

6. ...forêt au bord de laquelle on a aménagé des espaces pour pique-niquer.

7. ...conférence de presse au cours de laquelle il a défendu son plan de modernisation industrielle.

8. ...lettres de ma grand-mère au milieu desquelles il y avait des fleurs séchées.

p. 74 **7.** 1. La piscine dans laquelle/où je vais me baigner régulièrement est en-tourée...

2. Le couteau avec lequel je me suis coupé était rouillé.

3. Mathieu a rencontré Sophie, qu'il n'avait pas vue depuis des années, au théâtre.

4. Le concert auquel nous devions assister hier soir a été annulé.

5. Le coiffeur chez qui je vais d'habitude est parti en vacances.

6. La maison des Landru qui a brûlé la nuit dernière n'était pas as-surée...

7. La motocyclette dont mon fils a envie coûte vraiment très cher.

8. Le jouet qu'on vient d'offrir à la petite Amélie est déjà cassé.

p. 74 **8.** 1. L'article que le professeur nous a lu analyse très bien...

2. ...le dernier roman de Marguerite Duras dont on a parlé à la radio.

3. ...l'amie avec laquelle il discute.

4. La patronne du restaurant dans lequel/où je déjeune presque tous les jours est une excellente cuisinière.

5. ...un foulard qui va très bien avec mon manteau rouge.

p. 75 **9. A/**
1. celui que
3. celle qui
5. celui dont

2. ceux qui, ceux dont
4. celui que

B/
1. ce que
3. ce qu'
5. ce qui

2. ce qui, ce que
4. ce dont
6. ce dont

C/
1. ce qui
3. ce que
5. ce qui

2. ce qui
4. ce qui
6. ce que

p. 76 **10.**
1. que
4. que
7. qui, qui
10. que

2. qui
5. lesquelles
8. duquel
11. que

3. où
6. dont
9. dont
12. dont

p. 77 **12. A/** où, à laquelle, qui, dont.

B/ qui, que. dont, que, où. qui, qu'.

C/ où/qu'. par laquelle/par où. qu'. dont. qui, que.

p. 77 **13. A/**
1. puisse
3. veuille
5. paraisse
7. ayons faite

2. aie vu
4. sache
6. soit
8. puisse

B/
1. va
3. ait
5. soit
7. plaise

2. aille
4. a
6. est
8. plaît

CHAPITRE 11 - L'INTERROGATION

p. 79 **1.**
1. Etudiez-vous le français depuis longtemps ?/Est-ce-que vous étudiez le français depuis longtemps ?

2. Jacques a-t-il raison de changer de situation ?/Est-ce-que Jacques a raison de changer de situation ?

3. Peut-on entrer dans cette école sans le baccalauréat ?/Est-ce qu'on peut entrer dans cette école sans le baccalauréat ?

4. S'intéresse-t-il à la littérature comparée ?/Est-ce qu'il s'intéresse à la littérature comparée ?

5. Me comprenez-vous quand je parle ?/Est-ce que vous me comprenez quand je parle ?

6. Les Forestier habitaient-ils déjà à Paris à ce moment-là ?/Est-ce que les Forestier habitaient déjà à Paris à ce moment-là ?

7. Juliette viendra-t-elle à la maison dimanche prochain ?/Est-ce que Juliette viendra à la maison dimanche prochain ?

8. Puis-je vous aider ?/Est-ce que je peux vous aider ?

9. Le beau temps va-t-il enfin revenir ?/Est-ce que le beau temps va enfin revenir ?

10. Allez-vous vous inscrire à l'université de Paris IV ?/Est-ce que vous allez vous inscrire à l'université de Paris IV ?

11. Bernard s'est-il aperçu de son erreur ?/Est-ce que Bernard s'est aperçu de son erreur ?

12. Hélène avait-elle fini son travail à 8 h ?/Est-ce qu'Hélène avait fini son travail à 8 h ?

13. As-tu fait réparer les robinets de la salle de bain ?/Est-ce que tu as fait réparer les robinets de la salle de bain ?

14. La pollution a-t-elle fait augmenter le nombre des maladies respiratoires ?/Est-ce que la pollution a fait augmenter...

15. Des kiwis, en avez-vous déjà mangé ?/Des kiwis, est-ce que vous en avez déjà mangé ?

16. Cette leçon, la leur aviez-vous expliquée ?/Cette leçon, est-ce que vous la leur aviez expliquée ?

17. N'es-tu pas d'accord avec moi ?/Est-ce que tu n'es pas d'accord avec moi ?

18. N'avez-vous pas entendu ce qu'il a dit ?/Est-ce que vous n'avez pas entendu ce qu'il a dit ?

19. N'aimerais-tu pas vivre centenaire ?/Est-ce que tu n'aimerais pas vivre centenaire ?

20. Ton ami ne prépare-t-il pas le même examen que moi ?/Est-ce que ton ami ne prépare pas le même examen que moi ?

p. 80 **2. A/** 1. Où a-t-elle pris des leçons de dessin ?/Où est-ce qu'elle a pris des leçons de dessin ?

2. Quand a-t-il vu ce film ?/Quand est-ce qu'il a vu ce film ?

3. Comment joue-t-on à la canasta ?/Comment est-ce qu'on joue à la canasta ?

4. Combien pèse-t-il ?/Combien est-ce qu'il pèse ?

5. Vers quelle heure rentrerez-vous ?/Vers quelle heure est-ce que vous rentrerez ?

6. Pourquoi n'as-tu pas téléphoné ?/Pourquoi est-ce que tu n'as pas téléphoné ?

B/ 1. Où votre ami habite-t-il ?/Où habite votre ami ?/Où est-ce que votre ami habite ?

2. Quand Irène et Xavier vont-ils se marier ?/Quand vont se marier Irène et Xavier ?/Quand est-ce qu'Irène et Xavier vont se marier ?

3. Comment Hubert est-il tombé ?/Comment est tombé Hubert ?/Comment est-ce qu'Hubert est tombé ?

4. Combien une place de cinéma coûte-t-elle ?/Combien coûte une place de cinéma ?/Combien est-ce qu'une place de cinéma coûte ?

5. A quelle heure Aline viendra-t-elle ?/A quelle heure viendra Aline ?/A quelle heure est-ce qu'Aline viendra ?

6. Pourquoi ce petit garçon pleure-t-il ?/Pourquoi pleure ce petit garçon ?/Pourquoi est-ce que ce petit garçon pleure ?

p. 80 **3. A/** 1. Qui est-ce ?   3. Qui est-ce ?   5. Qu'est-ce que
2. Qu'est-ce que c'est ?   4. Qu'est-ce que c'est ?   c'est ?

B/ 1. Qui vous a offert ce livre ?/Qui est-ce qui vous a offert ce livre ?
2. Qu'est-ce qui fait ce bruit ?
3. Qui chante ?/Qui est-ce qui chante ?
4. Qu'est-ce qui est tombé ?
5. Qui a gagné le Tour de France ?/Qui est-ce qui a gagné le Tour de France ?
6. Qui arrive ?/Qui est-ce qui arrive ?
7. Qu'est-ce qui sonne ?
8. Qui a monté cette pièce ?/Qui est-ce qui a monté cette pièce ?

C/ 1. Qui as-tu invité ?/Qui est-ce que tu as invité ?
2. Qu'a-t-elle répondu ?/Qu'est-ce qu'elle a répondu ?
3. Que feras-tu le week-end prochain ?/Qu'est-ce que tu feras le week-end prochain ?
4. Qui épouse-t-elle ?/Qui est-ce qu'elle épouse ?
5. Que penses-tu de ce livre ?/Qu'est-ce que tu penses de ce livre ?
6. Que désirez-vous ?/Qu'est-ce que vous désirez ?

D/ 1. Avec qui partez-vous en vacances ?
2. En quoi est cette statue ?
3. A quoi penses-tu ?
4. A qui est-elle en train d'écrire ?
5. De quoi parlez-vous ?
6. Avec quoi peut-on enlever cette tache ?

p. 82 **4.**   1. Si, c'est possible.   4. Si, nous le sommes.
2. Si, j'aimerais y aller.   5. Si, il l'est.
3. Si, je l'ai.

p. 82 **5. A/** 1. Où irez-vous passer vos vacances ?
2. Comment vous appelez-vous/t'appelles-tu ?
3. Combien de frères et soeurs avez-vous ?
4. Combien coûte ce livre ?
5. Pourquoi ne viens-tu pas avec nous au cinéma ?
6. Combien de temps ce film dure-t-il ?
7. Depuis combien de temps est-elle en France ?
8. Comment vas-tu ?
9. Combien de fois êtes-vous allé dans ce musée ?
10. Comment irez-vous à Rome ?
11. Quand se sont-ils rencontrés ?
12. Pourquoi Barbara étudie-t-elle l'espagnol et le français ?

B/ 1. Qu'est-ce que c'est ?
2. Qui est-ce ?
3. Qui ont-ils reçu ?/Qui est-ce qu'ils ont reçu ?
4. A qui ressemble-t-elle ?
5. A quoi penses-tu ?
6. Qui a apporté ces fleurs ?/Qui est-ce qui a apporté ces fleurs ?
7. Qu'est-ce qui s'est passé pendant mon absence ?

8. Qu'est-ce qui t'a rendu malade ?

9. Que fais-tu le dimanche ?/Qu'est-ce que tu fais le dimanche ?

10. Avec quoi fait-on les meringues ?

11. De quoi avez-vous parlé ?

12. De qui parliez-vous ?

13. Chez qui dîneras-tu demain soir ?

14. Avec qui est-elle partie en vacances ?

C/ 1. Quelle heure est-il ?

2. A quelle heure prend-elle le train ?

3. Depuis quelle heure êtes-vous levé ?

4. A partir de quelle heure peut-on l'appeler ?

5. Quel jour allez-vous à votre cours de danse ?

6. De quelle nationalité est cette jeune fille ?

7. De quelle couleur est ton manteau ?

8. En quelle saison les roses fleurissent-elles ?

p. 83 **6.**   1. Lequel/quel   3. Lesquels/quels   5. Lesquelles/quelles

    2. Laquelle/quelle   4. Lequel/quel

CHAPITRE 12 - LA NEGATION

p. 85 **1. A/** 1. Je n'ai pas envie de sortir.   4. Ne partez pas tout de suite !

    2. Il n'avait pas faim.   5. La réunion n'a pas commencé à

    3. Bill ne reviendra pas...   l'heure.

        6. N'est-ce pas vrai ?

    B/ 1. Elle n'aime pas les animaux.

    2. Il ne met pas de sucre...

    3. Nous n'avons pas trouvé de voiture...

    4. Ce n'est pas une très bonne cuisinière.

    5. Ce ne sont pas des gens très sympathiques.

    6. N'avez-vous pas entendu les explications du guide ?

p. 86 **2. A/** 1. Il ne regarde ni les émissions sportives ni les jeux télévisés.

    2. Mon médecin ne reçoit ni le mardi ni le samedi.

    3. ...il n'a fait beau ni au printemps ni en été.

    4. ...je n'ai le temps d'aller ni au cinéma ni au théâtre.

    B/ 1. ...je n'ai trouvé ni ceinture ni foulard à mon goût.

    2. Je ne prendrai ni fromage ni dessert.

    3. Suzanne n'a acheté ni cerises ni fraises.

    4. ...il n'y a ni four ni lave-vaisselle.

p. 86 **3.**   1. ...ne pas retrouver ses clés.   4. ...ne pas te tromper.

    2. ...ne pas manger de pain.   5. ...ne pas avoir le temps

    3. ...ne pas être en retard.   de voir cette exposition.

p. 86 **4.** 1. Sa blessure n'est pas encore guérie.
2. Didier ne me bat jamais/pas toujours aux échecs.
3. Je ne prends jamais/pas souvent de bains de soleil sur mon balcon.
4. Je ne me passe jamais de déjeuner.
5. France-Musique n'a pas encore diffusé ce concert...
6. Tiens ! Il ne pleut plus.
7. Je n'ai jamais/pas encore mangé de cuisses de grenouilles.
8. Nous ne mangeons jamais/pas souvent de fruits de mer.
9. Tu ne fais jamais les courses le samedi.
10. Jean-Baptiste ne veut plus de purée.
11. Nous ne sommes jamais/pas encore allés en Norvège.
12. Il n'a pas encore donné sa réponse.
13. Je ne dîne jamais dans ce restaurant.
14. On n'a jamais vu de neige à Paris en juin.
15. Les cours de droit de première année n'ont plus lieu dans l'amphi-
théâtre Sully.
16. Dans notre enfance, nous n'allions jamais au bord de la mer.
17. Mon mari ne rentre jamais/pas souvent avant 19 heures.
18. Nous ne passons jamais nos vacances au même endroit.

p. 87 **5.** 1. Elle n'entend pas du tout, même pas quand on crie.
2. Il ne lit pas du tout, même pas un journal.
3. Je n'ai pas dormi du tout cette nuit, même pas une heure.
4. Il n'a pas plu du tout hier, même pas quelques gouttes.

p. 87 **6.** 1. Non, je n'en ai pas une seule.
2. Non, je n'en ai plus une seule.
3. Non, on n'en trouve plus une seule.
4. Non, il n'en reste pas une seule.
5. Non, il n'en reste plus une seule.

p. 87 **7.** 1. Eux non plus !   3. Lui non plus !   5. Moi non plus !
2. Pas elle !   4. Pas nous !

p. 88 **8. A/** 1. Ils ont quitté la pièce sans dire au revoir.
2. Il mange sa viande presque crue sans la saler.
3. Le malade est resté deux jours au lit sans rien manger.
4. Elle a passé la journée chez elle sans voir personne.
5. Ils ont assisté à l'accident sans rien faire.

B/ 1. Roberto a obtenu son visa sans aucune difficulté.
2. Nous avons loué un appartement sans aucun confort.
3. Mon voisin m'a raconté une histoire sans aucun intérêt.

p. 88 **9.** 1. Myriam n'a pris que du café.
2. On ne cultive que des céréales.
3. Nous ne sommes arrivés qu'à minuit passé.
4. Il ne me reste que deux photos à prendre.
5. Ça ne prend que deux heures.
6. Ces boucles d'oreilles ne coûtent que 100 francs.

p. 89 **11. A/** 1. incorrecte   6. impair   11. illégal
2. invraisemblable   7. imprévisible   12. irrégulier
3. inconscient   8. impatient   13. irréalisable
4. incompréhensible   9. imperméable
5. incapable   10. illisible

     B/ 1. mécontent   3. maladroits   5. malheureux
2. malsain   4. malhonnête

CHAPITRE 13 - ACCORD DU VERBE AVEC LE SUJET

p. 91 **1.** 1. se trouvent   3. aimerions   5. pourriez
2. sont   4. ont   6. poussaient

p. 91 **2.** 1. ne pense pas   5. se précipita   9. connaissent
2. refasse   6. a émigré   10. ont attrapé
3. souhaiterait   7. applaudissait   11. ont été détruites
4. fera   8. sont venus   12. a découvert

p. 92 **3.** 1. ai   4. sommes arrivés   7. avez cueilli   10. as dit
2. habitez   5. aimons   8. sommes nés
3. suis allé   6. me lèverai   9. suis

CHAPITRE 14 - LES AUXILIAIRES ET L'ACCORD DU PARTICIPE PASSE

p. 93 **1.** 1. est allée   3. sommes restés   5. est venu
2. sont partis   4. êtes-vous arrivé(s) ?   6. est devenue

p. 93 **2.** 1. a travaillé   2. ont participé   3. avons ramassé   4. ont repeint

p. 93 **3.** 1. lus   4. aperçus   7. faites   10. commandé
2. rencontrée   5. achetée   8. enregistrées
3. exposé   6. appelé   9. trouvé

p. 94 **4.** 1. laissée   3. faits   5. faite   7. laissé
2. laissé   4. fait   6. fait   8. fait

p. 94 **5.** 1. séché   3. mortes, arrosées   5. acheté
2. dit, fait   4. allée   6. pris

p. 94 **6.** 1. est tombée, est venu
2. est née, avons appelée
3. a tellement grandi, sont devenus
4. ont couru, sont mortes
5. sont entrés, m'ont volé
6. sont allés, sont partis, ont pris, sont arrivés, ont emmenés, ont conduits, est resté, sont rentrés

7.   1. êtes-vous rentré(e)(s) ?   7. est sortie
        2. avons rentré   8. as-tu sorti
        3. sont descendus   9. est retourné
        4. ai descendu   10. ai retourné
        5. a monté   11. avez-vous passé
        6. suis monté(e)   12. sommes passé(e)s

8.   1. passait   5. serrées   9. oubliée   13. cultivait
        2. passé   6. serrait   10. oubliait   14. cultivées
        3. cachait   7. tombés   11. fermait
        4. caché   8. tombait   12. fermés

CHAPITRE 15 - <u>LA FORME PASSIVE</u>

1.   1. Cette émission est regardée par beaucoup de téléspectateurs.
        2. Cette émission était regardée par...
        3. Cette émission a été regardée par...
        4. Cette émission avait été regardée par...
        5. Cette émission sera regardée par...
        6. Un film sur la Révolution française va être tourné par un jeune réalisateur.
        7. Un film sur...vient d'être tourné par un jeune réalisateur.
        8. Ce roman va être publié par les éditions Hachette.
        9. Ce roman vient d'être publié par...
       10. Tous les romans de cet écrivain ont été publiés par...

2.   1. Les caves des maisons ont été inondées par la rivière en crue.
        2. Mes enfants sont soignés par le docteur Chollet.
        3. La Cinquième Symphonie sera dirigée par le chef d'orchestre Lorin Maazel.
        4. La vallée était peu à peu recouverte par le brouillard.
        5. Un reportage sur la sécheresse en Afrique a été réalisé par une équipe de journalistes.
        6. Ses frais d'hospitalisation lui seront-ils remboursés par la Sécurité sociale ?
        7. J'ai été accueilli avec beaucoup de gentillesse par tes amis.
        8. Par qui le journal télévisé va-t-il être présenté ce soir ?

3.   1. Le directeur du Personnel recevra les candidats à ce poste.
        2. Le mauvais temps nous a retardés.
        3. Les astronomes viennent d'observer une comète.
        4. Selon Homère, Pâris avait enlevé la belle Hélène.
        5. Georges de La Tour aurait peint ce tableau.
        6. Ce film m'a déçu.
        7. Une amie l'a invitée cet été au bord de la mer.
        8. Cette nouvelle les avait bouleversés.

4.   1. Des milliers de visiteurs sont attendus au Salon de l'Automobile.
        2. La maison des Lupin vient d'être cambriolée.

3. Ce concert sera retransmis en direct du Festival d'Aix-en-Provence.

4. Ce problème a-t-il été réglé ?

5. Louis XVI fut guillotiné sur l'actuelle place de la Concorde.

6. Une des causes de cette allergie a été découverte.

7. Quand ce château va-t-il être ouvert au public ?

8. Galilée fut pris pour un fou quand il affirma que la terre était ronde.

p. 98 **5.**
1. Dans cette école, on n'admet pas les élèves de moins de dix-sept ans.

2. A-t-on retrouvé les tableaux volés ?

3. On va opérer mon fils de l'appendicite.

4. Il faudrait qu'on agrandisse l'hôpital.

5. On vient de traduire ce roman en français.

6. On construisit le pont Neuf sous Henri IV.

p. 99 **7.**
1. Ce sont Pierre et Marie Curie qui ont découvert le radium./Le radium a été découvert par P. et M. Curie.

2. C'est Monet qui a peint le tableau.../Le tableau...a été peint par Monet.

3. C'est Rodin qui a sculpté les Bourgeois de Calais./Les Bourgeois de Calais ont été sculptés par Rodin.

4. C'est...qui gouvernait mon pays l'année dernière./Mon pays était gouverné par...l'année dernière.

5. C'est...qui m'a raconté cette histoire./Cette histoire m'a été racontée par...

6. Ce sont les Japonais qui portent le kimono./Le kimono est porté par les Japonais.

p. 99 **8.**
1. Balzac écrivit le Père Goriot en 1834./Le Père Goriot fut écrit par Balzac en 1834.

2. On tire un feu d'artifice le soir du 14 juillet./Un feu d'artifice est tiré le soir du 14 juillet.

3. On livrera votre canapé samedi prochain./Votre canapé sera livré samedi prochain.

4. Hier des terroristes ont détourné un avion./Un avion a été détourné par des terroristes hier.

5. La NASA prévoit le retour des astronautes vers 13 heures./Le retour des astronautes est prévu par la NASA vers 13 heures.

6. Le vent a abattu un grand sapin la nuit dernière. /Un grand sapin a été abattu par le vent la nuit dernière.

7. Gustave Eiffel construisit la tour Eiffel en 1889./La tour Eiffel fut construite par Gustave Eiffel en 1889.

8. Bientôt on installera un interphone dans cet immeuble./Bientôt un interphone sera installé dans cet immeuble.

p. 100 **9.**
1. La tapisserie de la Dame à la Licorne a été tissée à la fin...

2. impossible

3. impossible

4. Un poste à l'étranger lui a été proposé par le directeur.

5. impossible

6. impossible

7. impossible

8. impossible

9. Le grenier était encombré de vieux meubles/par de vieux meubles.

10. Ils ont été avertis du danger de se baigner dans cette rivière.

CHAPITRE 16 - <u>LA FORME PRONOMINALE</u>

p. 101 **1. A/** 1. J'ai perdu/je me suis perdu   3. se cacher/cache

2. on s'est ennuyé/ça l'ennuie   4. je me demande/demandez

     B/ 1. ça sent/je ne me sens pas...   4. on aperçoit/il s'est aperçu

2. se trouve/on trouve   5. se rendre/je te les rendrai

3. se mettre/mettre   6. passe/se passe

p. 102 **2.** 1. nous étions déjà couchés/nous nous couchons

2. assieds-toi/était assise

3. se lèvera/je suis levé

4. je suis marié/se marier

5. sont trop abîmés/s'abîment

6. est occupé/s'occupe

7. est arrêtée/s'arrête

p. 102 **3.** 1. L'arabe s'écrit...

2. Le "s" final du mot "sens" se prononce...

3. Le Mariage de Figaro se joue...

4. Le champagne se boit...

5. "Visiter quelqu'un" ne se dit pas.

6. Ce médicament se prend...

7. Les timbres se vendent...

8. Le mot "alors" s'utilise...

9. Cette robe se porte...

10. La natation peut se pratiquer...

p. 103 **4. A/** 1. a promené   3. a soigné   5. a inscrit

2. s'est promenée   4. s'est soignée   6. nous nous sommes inscrits

     B/ 1. j'ai coupé   4. il avait mis   7. j'ai lavé

2. s'est coupée   5. s'était mise   8. se sont lavés

3. s'est coupé   6. s'était mis   9. se sont lavé

     C/ 1. nous avons demandé   3. avait dit

2. elle s'est demandé   4. elle s'est dit

     D/ 1. ne se sont pas parlé

2. ils ne s'étaient pas vus...ils se sont retrouvés

3. nous ne nous sommes pas écrit...nous nous sommes téléphoné

p. 104 **5. A/** 1. s'est vendue   3. se sont cultivées

2. se sont portées   4. s'est ouverte

B/ 1. se sont absentés   3. se sont moqués   5. elle s'est plainte
   2. elle s'est évanouie   4. ils se sont aperçus 6. elle s'est souvenue

CHAPITRE 17 - <u>L'EMPLOI DES TEMPS DE L'INDICATIF</u>

p. 105 **1. A/** 1. A   3. C   5. A   7. C   9. D
                   2. B   4. D   6. E   8. B   10. E

p. 106 **2.** 1. Il répare/il est en train de réparer son vélo.
               2. Ils s'habillent/ils sont en train de s'habiller.
               3. Il taille/il est en train de tailler la haie.
               4. Je classe/je suis en train de classer des photos.

p. 106 **3.** 1. B   2. D   3. C   4. E   5. A   6. D

p. 106 **4.** 1. partira - va partir   2. aura - va avoir   3. allons faire - ferons

p. 107 **5.** 1. aurez planté   3. aura modifié   5. aura vidé
               2. auras lu   4. aura terminé

p. 107 **6.** 1. étudierons - aurons étudié   4. arriverons - serons arrivés
               2. tapera - aura fini   5. recevra - aura reçu
               3. commenceront - auront terminé

p. 107 **7.** 1. Je vais passer l'aspirateur après le déjeuner.
               2. Dimanche soir, nous recevrons des amis à dîner.
               3. Vous éteindrez la lumière en partant.
               4. Quand tu auras terminé tes devoirs, tu regarderas un dessin animé.
               5. Il sera certainement rentré à la maison avant la nuit.

p. 108 **8.** 1. A   2. C   3. A   4. D   5. B

p. 108 **9.** Ils se sont réunis... ils ont consulté... ils ont établi... ils ont
               loué... ils ont fait... ils ont choisi...'

p. 108 **10.** 1. Les Dupont se sont mariés en 1981.
                2. Pierre a eu un accident la semaine dernière et il est encore à l'hôpi-
                   tal.
                3. Pierre a été absent du 1er au 15 août.
                4. J'ai demandé l'addition, puis j'ai payé.

p. 108 **11.** 1. a plu - vient de pleuvoir
                2. est sorti - vient de sortir
                3. viens de déjeuner - n'ai pas encore déjeuné

p. 109 **12.** 1. A   2. C   3. B   4. C

p. 109 **13.** 1. Tous les mercredis, les enfants allaient à la piscine.
                2. Il neigeait ; tout était blanc.

3. Pierre était en train de dormir quand le téléphone a sonné.

4. Pendant que j'étais sous la douche, il a téléphoné.

p. 109 **14.**   1. A   2. B   3. A   4. C

p. 110 **15.**   Molière fit ses études de droit à Orléans. Il créa "l'Illustre Théâtre" en 1643. Puis il voyagea dans toute la France avec sa troupe de 1643 à 1658. Il rentra à Paris et s'installa au Théâtre du Palais Royal en 1661. Il fit représenter de nombreuses comédies à Paris et à Versailles. En 1673, il mourut sur la scène, au cours de la quatrième représentation du Malade imaginaire.

p. 110 **16.**   1. aviez commandé   4. avait perdu
                 2. n'avait jamais lu   5. avaient prévu
                 3. avait appris

p. 110 **17.**   s'étaient réunis - avaient consulté - avaient établi - avait loué - avaient fait - avaient choisi

p. 110 **18.**   1. eut donné   2. eut reçu   3. eut ouvert   4. eurent joué

p. 111 **19. A/** 1. avons repeint, étaient   6. est passé, a téléphoné
                  2. a vérifié, n'étaient pas   7. venait, téléphonait
                  3 ai vu, avaient   8. n'a duré, se rendaient, s'est produit
                  4. ai lue   9. me suis réveillé, était
                  5. écoutaient, étaient

       B/ 1. habitait, a déménagé   5. adorait, rêvait
              2. roulions, a éclaté   6. croyais, avait
              3. avons roulé, était   7. a entendu, ai cru, était
              4. a longtemps rêvé, a dû

p. 112 **21.**   1. allait commencer   4. m'enverrait, aurait fait
                 2. se rendrait   5. recevrais, aurais payé
                 3. allais changer

p. 112 **22.**   1. venait d'inaugurer
                 2. venait de passer
                 3. venait d'arriver

p. 112 **23.**   1. s'était trompé, avait envoyée, est revenue
                 2. avons découvert, ne connaissions pas
                 3. a décidé, poursuivrait
                 4. ne tenais pas, avais passé, avait
                 5. a fallu, prenne
                 6. a téléphoné, ne se sentait pas, aimerait, vienne
                 7. était, allait commencer
                 8. était, venait d'être

p. 113 **24.**   1. ai essayé, ne répondait   2. montrerait
                     pas, était, faisais   3. étaient restés

4. fallait
5. a eu/avait, a dansé/dansait
6. allais

7. venaient d'apprendre, se droguait
8. prendrait, aurait fini

p. 113 **25. A/** était, était. allait, s'était couchée, n'avait pas sonné. s'est vite habillée, a avalé, a pris, savait, ferait. est entrée/entrait, s'est aperçue, avait oublié. venait d'acheter, est tombée, remontait. a annoncé, n'aurait pas lieu, était.

B/ Ce jour-là/hier...faisait, a rencontré, était. La veille...n'avait pas réussi. n'étaient pas pressées, sont allées. a promis, ferait, reviendrait.

C/ C'était...et cette année-là nous avions décidé. avions réservé, devait. sommes arrivés, sommes présentés. avait, faisaient. avions, a enregistrées. avons passé, ont demandé, avions, ont fouillé. avons regardé, ai acheté, buvait. sommes assis, avons attendu. était, a annoncé, aurait. ont été invités. a remis, avons pris. avons décollé.

D/ Ce matin-là, ai téléphoné, devions. a répondu, a annoncé, venait d'être transportée, s'était sentie, avaient appelé, avait diagnostiqué. ai dit, étais, espérais, irait. ai ajouté, rendrais...le lendemain après-midi.

E/ Ce matin-là...était partie, pensait, arriverait. circulait. ont obligée, ont fait. allait tourner, est passé, s'arrête. a rappelée. a compris, s'est arrêtée. s'est avancé, a saluée, a demandé, a examinés. a fait, a vérifié, correspondait, est revenu. a demandé, était. suis, a-t-elle répondu, a reconnu, venait de faire. a repris, copierez, dois.

F/ Ce jour-là, c'était...se sentait. courait. s'enfonça. tombaient, était. surgit. épaula, tira. continua. avait manqué.

p. 114 **26. A/** Ce matin/ce matin-là, j'ai eu, a fallu, appelle, secoue. n'avons pas mangé, voulions. sentais, avais. avait. s'est moquée, disait, avais. avait mis. ai dit, était, a ri. avons frappé. a répondu, descendait. n'avons pas ouvert. m'a frappé.

B/ Sommes passés. était allumé, avait reçu, avais loué. avons fait. ai ouvert, avons monté. était. s'est assise. n'a pas ôté. a regardé, voulait. donnaient, étaient protégées. recouvrait. étais assis. attendais/ai attendu, parle.

C/ Etait. n'était pas tombé. se réveilla. trouva, contemplait. dit-il. fixait, croyait-il, sortaient. laissa, alla. faisait. prit. but, alluma, retourna.

D/ Trouva, faisait. savait, savait, aimait. arriva. avait. se faufila, resterait. se trouva, regardait. regarda, vit, avait. dominait, était. s'intéressait.

E/ Passa. se disposait, se fit, eut, avait. trembla. sortit. était-ce. tenait-il.

F/ Etait, releva, vint. aperçut, venait. savait, allait, pouvait. pensa, faisait, était, haussa, se remit. vit, parut. avait, connaissait. dissimulait.

CHAPITRE 18
L'EMPLOI DE L'INDICATIF ET DU SUBJONCTIF
DANS LES PROPOSITIONS COMPLETIVES

p. 117 **1.**
1. a
2. avait
3. est
4. était
5. n'a pas reçu
6. n'avait pas reçu
7. rendra
8. rendrait

p. 117 **2.**
1. tourne
2. va
3. résiste
4. n'ai pas encore envoyé
5. rentrerions
6. pourrait
7. avait brûlé
8. se refroidirait
9. avaient laissé
10. est
11. ferme
12. avait
13. plaira
14. était
15. avait volé
16. s'était trompé

p. 118 **3.**
1. ne puissiez pas
2. n'ayez pas pu
3. aille
4. soit allée
5. empêche
6. ait empêchés

p. 118 **4.**
1. réussissent
2. rendes
3. ne m'ait pas encore répondu
4. fasse
5. n'aies pris
6. ait fait
7. donniez
8. ait
9. n'ait abîmé
10. parle

p. 119 **5. A/**
1. a
2. sera
3. ouvre
4. avait commis
5. est

B/
1. veuille
2. ait obtenu
3. viennes
4. aient fait
5. ne puisse pas
6. dessine/ait dessiné
7. se serve, ne range jamais

p. 119 **6. A/**
1. fait
2. est
3. sera
4. as maigri
5. ont eu/ont

B/
1. aille
2. n'écriviez pas
3. aies oublié
4. mettes
5. prenions, allions
6. partes
7. fleurisse
8. soit
9. ne soit pas venu
10. fassiez

p. 120 **7.**
1. Et toi, es-tu certain que cette solution soit la meilleure ? Non, je ne suis pas certain qu'elle le soit.
2. Et vous, trouvez-vous que le développement de l'énergie nucléaire soit dangereux ? Non, je ne trouve pas qu'il le soit.
3. Et vous, trouvez-vous que la langue française soit difficile ? Non, je ne trouve pas qu'elle le soit.
4. Et toi, crois-tu qu'il comprenne tout ce qu'on lui dit ? Non, je ne crois pas qu'il comprenne tout ce qu'on lui dit.

5. Et vous, trouvez-vous qu'il y ait trop de chiens à Paris ? Non, je ne trouve pas qu'il y en ait trop.

6. Et toi, es-tu sûr que ce film plaise aux enfants ? Non, je ne suis pas sûr qu'il leur plaise.

p. 120   **8. A/**   1. preniez   4. n'avez pas bien   7. viennes
2. ne me croyez pas   compris   8. arrivions
3. rappeliez   5. remboursions   9. restait
     6. fassiez   10. fassions, jouions

B/   1. prennent   4. aient échoué   7. aura   10. fasse
2. serait, se mette   5. fonde   8. suis, vienne
3. fumiez   6. allions   9. ailles

p. 121   **9. A/**   1. Il est/c'est exact que la population du centre de Paris a diminué...
2. Cela m'étonne que tu n'aies pas trouvé...
3. Cela m'inquiète que Laurent ait très mal aux oreilles.
4. Il est/c'est vrai qu'à Paris les voitures stationnent...
5. Quel dommage que tu n'aies pas pu voir...
6. Il est/c'est bien possible que j'aie fait une erreur.
7. Il est/c'est bizarre qu'ils ne soient pas encore arrivés.
8. Il vaut/cela vaut mieux que vous fermiez vos volets...

B/   1. L'Administration exige que vous donniez...
2. J'ai peur qu'il (ne) pleuve...
3. Les sondages indiquent que la majorité va changer...
4. Je regrette que vous ne connaissiez pas...
5. Mes parents m'ont écrit qu'ils viendraient...et qu'ils resteraient...
6. La secrétaire ne s'est pas aperçue qu'il y avait...
7. Tout le monde est conscient que la nature doit être protégée.
8. Le journal télévisé a annoncé qu'une bombe avait explosé...et qu'il y avait eu...

p. 122   **10.**   1. Sabine croyait qu'elle était en retard.
2. impossible
3. J'espère que j'obtiendrai...et que je partirai...
4. impossible
5. Je te promets que je serai prudent.
6. Marc affirme qu'il a fermé...
7. impossible
8. J'ai l'impression que je me suis trompé de direction.

p. 122   **11.**   1. Oui, il est bien étonnant qu'il ait obtenu...
2. Oui, il serait souhaitable que les Parisiens aient...
3. Oui, il est normal qu'on écrive...
4. Oui, il est surprenant que vous ayez trouvé...
5. Oui, il est très ennuyeux qu'elle ait perdu...

p. 123   **14.**   1. Il nous a appris le mariage de son fils.
2. Avez-vous remarqué l'absence de Marie ce matin ?
3. J'ai besoin de ton aide pour cette traduction.

4. L'employé est sûr de l'exactitude de ces renseignements.

5. Les voyageurs étaient très inquiets du retard de l'avion...

6. La propriétaire a annoncé l'ouverture du magasin...

7. Agnès est très triste de la mort de son petit chat.

8. Mme Lafoy est heureuse d'annoncer la naissance de son quinzième petit-fils.

9. ...le général de Gaulle décida la dévaluation du franc.

10. Le gouvernement souhaite la création de nouvelles entreprises...

p. 124 **15.** 1. J'ai toujours peur que l'énorme chien de mes voisins (ne) me morde.

2. Cette jeune violoniste a eu la chance qu'un grand chef d'orchestre la remarque.

3. Les syndicats sont satisfaits que le ministre du Travail les ait reçus.

4. ...M. Durand pense qu'on l'enverra en mission au Japon.

5. Marion n'aime pas qu'on la confonde avec sa soeur jumelle.

6. Les adolescents ont souvent l'impression que leurs parents les comprennent mal.

7. L'employé ne veut pas qu'on l'accuse de cette erreur.

8. ...elle a horreur qu'on l'appelle Jeannette.

CHAPITRE 19 - LE CONDITIONNEL

p. 126 **3. A/** 1. Tu devrais lire... 4. Tu devrais te renseigner...

2. Vous ne devriez pas porter... 5. Tu ne devrais pas conduire de nuit.

3. Vous devriez vous abonner...

B/ 1. Vous auriez dû remplir... 4. Tu n'aurais pas dû venir...

2. Ils auraient dû prévenir... 5. J'aurais dû réserver...

3. Il aurait dû se faire vacciner...

p. 127 **4.** ouvrirait. occuperait. contiendraient. ferait. découvrirait. seraient tapissés. serait couverte. viendrait. aurait. serait, serait. occuperaient vivraient.

CHAPITRE 20 - L'INFINITIF

p. 129 **1.** 1. Construire le tunnel... 7. Coudre et tricoter...

2. Restaurer un tableau... 8. ...l'habitude de marcher...

3. ...lire au coin du feu. 9. Avant de partir...

4. Traduire un roman... 10. ...sans crier.

5. Pour cultiver les oliviers... 11. ...a ordonné de fermer...

6. ...a permis d'observer la planète. 12. ...jouer en plein air.

p. 130 **2.** 1. rendre 3. emprunter 5. avoir fait

2. être allé 4. m'avoir envoyé 6. faire

7. être venu	10. vous inscrire	13. avoir remporté
8. rentrer	11. avoir obtenu	14. enlever
9. conduire	12. étudier	15. m'être baigné

p. 130 **3.**

1. ...la fusée exploser.
2. ...des jeunes faire...
3. ...les larmes lui monter aux yeux.
4. ...les oiseaux chanter.
5. ...les trains passer.
6. ...les muezzins appeler...
7. ...des femmes filer la laine.
8. ...une porte claquer.

p. 131 **4.**

1. Introduire...appuyer...
2. Ne pas se pencher...
3. Décrire...
4. Ne rien donner...
5. Servir...
6. Ne pas s'asseoir...
7. Ne jamais se baigner...
8. Prendre...

CHAPITRE 21 - LA PHRASE EXCLAMATIVE

p. 133 **1. A/**

1. Quelle belle femme !
2. Quel dommage !
3. Quelle histoire invraisemblable !

B/

1. Comme elles sont snobs !
2. Comme elle a maigri !
3. Comme tu parles bien français !
4. Comme il fait froid !

C/

1. Qu'ils étaient drôles, ces clowns !
2. Que ce parfum sent bon !
3. Qu'il a l'air fatigué !

p. 134 **2.**

1. Quelle chaleur ! Comme il fait chaud !
2. Quelle belle photo ! Comme cette photo est belle !
3. Quel mauvais temps ! Comme il fait mauvais !
4. Quelle vue magnifique sur Paris ! Comme on voit bien Paris ! Que ce dîner était bon !
5. Quelle horreur ! Que c'est triste ! Comme c'est triste !
6. Quelle chance elle a ! Comme elle doit être contente !
7. Que c'est cher ! Comme c'est cher !

CHAPITRE 22 - LE DISCOURS INDIRECT

p. 135 **1.**

1. Il dit qu'il pleut.
2. On annonce que le train va partir.
3. Je vous préviens qu'il y a   une grève...
4. Elles disent qu'elles sont fatiguées.
5. ...tu répondras que tu ne sais pas.
6. Je dis à Pierre qu'il a oublié de me rapporter le journal.
7. L'enfant crie qu'il veut faire...
8. Elle annonce que ses amis viendront dîner ce soir.
9. ...à Céline qu'elle a laissé ses lunettes chez sa soeur.
10. Il me répète souvent qu'il m'emmènera à Venise pour mon anniversaire.

p. 135 **2.**   1. Il affirme : "Je ne connais pas cet homme."

2. "Le film va commencer."

3. "J'ai envie d'un bon café."

4. "Ma voiture est en panne."

5. "Votre commande sera livrée lundi prochain."

p. 136 **3.**   1. ...que l'examen aura lieu le 25 mai.

2. ...qu'il peut lui réserver une place dans le train de 16 h 30.

3. ...qu'ils se sont trompés de direction et qu'ils ne savent pas comment rentrer à leur hôtel.

4. ...qu'elle va à la patinoire avec ses amis et qu'elle rentrera vers 7 heures, et elle ajoute qu'il y aura une compétition et qu'elle espère bien obtenir un bon classement.

5. ...qu'il aimerait bien avoir une bicyclette neuve.

6. ...que l'acteur qui devait jouer le rôle de Ruy Blas est malade et qu'il sera remplacé par M. X.

p. 136 **4.**   1. ...que le président de la République allait se rendre prochainement en Italie.

2. ...qu'il ne voulait pas aller à l'école.

3. ...qu'il n'y avait pas d'abonné au numéro que je demandais.

4. ...qu'ils nous remerciaient de notre invitation et qu'ils acceptaient avec plaisir de venir dîner samedi soir.

5. ...qu'il fallait qu'ils sachent ce poème par coeur.

6. ...qu'ils avaient trouvé un petit chien abandonné dans la rue et qu'ils voudraient le garder.

7. ...qu'il viendrait me chercher à l'aéroport.

8. ...qu'il allait jouer en bis...

9. ...qu'elle venait de changer de travail et qu'elle était très contente de son nouveau poste parce qu'elle ferait...

10. ...que ce tableau était un faux.

p. 136 **5. A/** ...nous a téléphoné d'Algérie qu'il était bien arrivé. ...nous disant qu'il s'était installé ce jour-là dans la maison que François et lui allaient habiter pendant la durée de leur stage... Il écrivait également que, la veille, le directeur leur avait fait visiter l'usine et qu'il les avait présentés... il ajoutait qu'ils iraient à la plage le lendemain et qu'ils commenceraient leur travail le lundi suivant.

B/ Charlotte lui a dit qu'elle avait trois heures de cours par jour le matin et que, l'après-midi, elle était libre... Elle lui a raconté également que, le week-end précédent, elle était allée à Londres avec des camarades de classe et qu'elles y retourneraient le week-end suivant.

p. 137 **6.**   1. ...aux étudiants d'écrire la correction de l'exercice sur leurs cahiers.

2. ...aux enfants de ne pas jouer au ballon sur la pelouse.

3. ...dit de m'asseoir à côté de lui.

4. ...à l'étudiant de ne pas oublier de rapporter ces livres le mercredi suivant.

5. ...au petit garçon d'aller chercher du pain et de prendre le courrier...

6. ...à l'automobiliste de ne pas garer sa voiture là.

7. ...recommandé de ne pas conduire trop vite et de lui téléphoner dès mon arrivée.

p. 137 **7.**
1. "Je n'ai jamais le mal de mer en bateau."
2. "Je vous emmènerai au zoo."
3. "Il y aura des orages en fin de journée."
4. "Revenez lundi prochain."
5. "Ma mère est malade et je dois m'occuper de mes frères et soeurs plus jeunes."
6. "Je me présenterai aux élections législatives."
7. "Ne faites pas de bruit."
8. "J'ai justement vu ce film hier."
9. "Nous voulons absolument visiter les Catacombes."
10. "La collection d'hiver va arriver la semaine prochaine."

p. 137 **8. A/**
1. Je me demande où j'ai mis mon porte-monnaie.
2. Le professeur voulait savoir combien de temps ces étudiants avaient étudié le français.
3. ...demandé pourquoi il y avait un accent circonflexe...
4. ...automobiliste s'il a quelque chose à déclarer.
5. Mes amis m'ont demandé si je reviendrais les voir à Fontainebleau.
6. Il demanda anxieusement s'il n'y avait vraiment pas d'autre solution.
7. Monique a demandé à sa soeur si elle pourrait lui prêter ce roman quand elle l'aurait fini.
8. Ma belle-mère m'a demandé comment allaient mes parents.

B/
1. ...savoir qui a téléphoné tout à l'heure.
2. Le jeune homme demandait qui voulait faire une partie de poker avec lui.
3. ...demandé qui nous préférions, Balzac ou Zola.
4. Le père demanda à sa fille avec qui elle sortait.
5. ...demandent ce qui a causé l'accident.
6. Le visiteur cherchait à lire ce qui était écrit sur le panneau.
7. Dis-moi ce que tu veux faire quand tu seras grand.
8. Le serveur demanda à la dame ce qu'elle prendrait comme entrée.
9. ...a demandé ce que c'était.
10. Il voulait savoir à quoi servait ce bouton rouge.

C/
1. ...au passant quelle heure il était.
2. Ils demandèrent au maître d'hôtel quel vin il leur conseillait avec ce poisson.
3. Le client a demandé au garagiste laquelle de ces deux voitures consommait le moins d'essence.
4. Mon ami m'a demandé pour lequel de ces candidats j'allais voter.

p. 138 **9.**

1. comment	4. où	7. ce qui	10. quand/s'
2. si	5. si	8. comment	11. qui
3. ce qui	6. pourquoi	9. ce qu'	12. ce que

p. 139 **10.**
1. "Qui a lancé cette pierre ?", demande le vieil homme aux enfants.

2. "Qu'offrirai-je/Qu'est-ce que j'offrirai à ma femme pour Noël ?", se demande Philippe.

3. "Voulez-vous des boissons fraîches ?", demandait l'hôtesse de l'air aux passagers.

4. "Est-ce que le mauvais temps ne retardera pas les vendanges ?", se demandait le vigneron.

5. "Que s'est-il passé avant le crime ?", cherchait à savoir la police.

6. "A quel quai s'arrêtera le train en provenance de Lille ?", a demandé le voyageur au contrôleur.

7. "Faut-il continuer ou rentrer au port ?", se demandait-on...

8. "Aimeriez-vous visiter une cave de champagne ?", demande le guide aux touristes.

9. "Pourquoi pleures-tu ?", a demandé Catherine à sa fille.

10. "Comment se sont passées tes vacances ?", m'ont demandé mes parents.

p. 139 **11.**
1. ...a-t-elle dit/dit-elle.
2. ...a demandé l'étranger/a-t-il demandé/demanda l'étranger/demanda-t-il.
3. ...a répondu le vendeur/a-t-il répondu/répondit le vendeur/répondit-il.
4. ...s'est-elle écriée/s'écria-t-elle.
5. ...a demandé l'enfant/a-t-il demandé/demanda l'enfant/demanda-t-il.
6. ...a-t-elle expliqué/expliqua-t-elle.
7. ...a-t-il interrogé/interrogea-t-il.

p. 140 **12.**
...et lui demanda ce qu'elle cherchait. La jeune fille répondit qu'elle avait besoin d'un guide touristique sur Paris. ...en expliquant que ce guide-là était très clair et que les photos étaient magnifiques. La jeune fille...en s'exclamant qu'il avait raison, mais que c'était trop cher pour elle.

p. 140 **13.**
Tante Lucie m'a dit l'autre jour : "Mon mari et moi voudrions t'offrir un cadeau pour ton mariage", et elle m'a demandé : "Que désires-tu ?" J'ai répondu : "Nicolas et moi, nous allons déposer..., mais tu peux aussi nous faire un cadeau..."

p. 140 **14.**
Celle-ci lui demanda tout d'abord pourquoi il avait quitté Paris et ce qui l'avait attiré dans cette région. Le peintre répondit que Paris, bien sûr, permettait des rencontres lorsqu'on cherchait à..., mais qu'à son âge, on aimait... Il ajouta que ce qui lui avait plu dans ce pays, c'était les couleurs... La journaliste demanda ensuite s'il serait possible qu'elle visite son atelier. Le peintre répliqua qu'il le lui ferait visiter bien volontiers parce qu'il était toujours heureux que l'on s'intéresse à ses oeuvres.

p. 140 **15.**
1. Le professeur ne nous a pas dit s'il y aurait un test lundi prochain.
2. Savez-vous si l'on peut changer de l'argent dans cette banque ?
3. Air Inter m'a confirmé qu'il n'y avait pas de liaison...
4. J'ai complètement oublié ce que nous devions préparer pour le prochain cours d'anglais.
5. Saviez-vous que le musée Marmottan n'est pas un musée national et qu'il est ouvert le mardi ?

6. Sais-tu où auront lieu les prochains Jeux Olympiques ?

7. J'ignorais qu'on avait découvert des vestiges...

8. On ignore encore si l'homme pourra vivre un jour dans l'espace.

CHAPITRE 23 - L'EXPRESSION DE LA CAUSE

p. 141 **2. A/**

1. a oublié
2. avait oublié
3. a

4. était
5. s'était cassé
6. sera

7. ne sera pas encore rentré
8. vais, rentrerai

B/ 1. avait   2. a   3. avait neigé   4. vont, il y a

C/ 1. est   2. n'avait pas payé

D/ 1. parles   2. resterez, aimez   3. avez déjà vu

E/ 1. avions laissé   2. ne s'entend pas

p. 143 **6. A/**

1. ...à cause de la chaleur.
2. ...en raison du défilé sur les Champs-Elysées.
3. Grâce à l'aide d'un passant...
4. Etant donné le beau temps...

B/

1. Faute de pain...
2. A force de lire de trop près...
3. A force de travail...
4. ...grâce à l'intervention rapide des pompiers.

p. 144 **7.**

1. à cause du verglas
2. faute d'argent
3. grâce à

4. étant donné
5. en raison du mauvais temps
6. à force de

p. 144 **8. A/**

1. ...parce qu'il y a des courants d'air.
2. Comme il y a eu un accident...
3. Etant donné que le trajet est long...
4. ...Parce qu'il a fait très beau.
5. ...parce qu'il est trop jeune.

B/

1. ...parce que je n'ai pas eu assez de temps.
2. ...parce qu'il y avait eu un violent tremblement de terre.
3. Comme la ligne de métro a été prolongée...
4. Comme il s'était beaucoup entraîné...
5. Comme il n'avait plus assez de clients...

p. 144 **9.**

A. ...pour travaux
B. ...pour avoir commis un meurtre
C. ...pour vol
D. ...pour excès de vitesse
E. ...de peur

F. ...de sommeil
G. ...de faim
H. ...par erreur
I. ...par gourmandise
J. ...par simple curiosité

1. ...en glissant sur le trottoir
2. ...en freinant à temps.
3. ...en mangeant trop de chocolat.
4. ...en la repassant avec un fer trop chaud.
5. ...en descendant l'escalier quatre à quatre.

p. 145 **11. A/**
1. Comme il croyait qu'il allait pleuvoir...
2. Comme il connaît bien la peinture impressionniste...
3. Puisque je savais que tu n'étais pas là...

B/
1. Etant donné que la date de l'examen approche...
2. Comme la vie est très chère à Paris...
3. Comme un touriste manquait à l'appel...

p. 145 **12.**
1. Je vais reprendre de ton gâteau car il est délicieux.
2. Comme il est très sportif, il boit peu d'alcool.
3. Puisque les musées nationaux sont fermés le mardi, le professeur emmènera ses étudiants...
4. Il a cassé un carreau en jouant au ballon...
5. Il déjeune tous les jours dans un restaurant végétarien parce qu'il déteste la viande.
6. Grâce aux renseignements de l'agent de police, j'ai trouvé facilement...
7. Des tuyaux ont éclaté dans l'immeuble à cause du gel.
8. Etant donné que cette pièce de théâtre a beaucoup de succès, il y aura des représentations supplémentaires.
9. Cet étudiant a été exclu de l'examen; en effet il avait triché.
10. On lui a refusé son visa sous prétexte qu'il n'avait pas tous les papiers nécessaires.

CHAPITRE 24 - L'EXPRESSION DE LA CONSEQUENCE

p. 147 **1. A/**
| 1. a appelé | 3. ne peut plus | 5. a évacué |
| 2. comprend | 4. serez, pourrons | |

B/ 1. veulent 2. ont été 3. empêchent 4. vaut

C/ 1. tomberez 2. peut 3. a renversé

D/ 1. étions 2. pourrons

E/ 1. est devenu 2. a dû/doit 3. gela

p. 148 **2.**
1. tellement/tant	6. si/tellement
2. tant de/tellement de	7. si/tellement
3. tant/tellement	8. tant de/tellement de
4. si/tellement	9. si/tellement
5. tel	10. tant de/tellement de

p. 149 **5.** 1. J'ai lu ce livre en une nuit, tellement il était passionnant.
2. J'ai renoncé à voir l'exposition Matisse, tellement il y avait de monde.
3. Il ne pourra pas prendre de vacances, tellement il a de travail.
4. On prenait Adrien pour un moniteur, tellement il skiait bien.
5. Je ne l'ai pas reconnu, tellement il a vieilli.

p. 149 **6.** (Pour chaque phrase une seule possibilité a été donnée.)
1. Marie est si sympathique qu'elle a beaucoup d'amis.
2. Elle a pleuré, c'est pourquoi elle a les yeux rouges.
3. Ce retraité a beaucoup de temps libre si bien qu'il fait beaucoup de sport.
4. J'ai si faim que je mangerais une énorme assiette de spaghetti.
5. Cette entreprise était si mal gérée qu'elle a fait faillite.
6. J'avais une telle envie de dormir que je me suis couché à 9 heures.
7. L'enfant a couru tellement vite qu'il est tout essoufflé.
8. Nous avons tant de bagages que nous allons prendre un taxi.
9. Elle a cueilli tellement de fleurs qu'elle va faire plusieurs bouquets.
10. Nous sommes restés si longtemps sur la plage que nous avons eu des coups de soleil.

p. 150 **7. A/** 1. L'enfant est trop petit pour atteindre le bouton de la sonnette.
2. Je n'ai pas assez d'argent pour pouvoir t'en prêter.
3. Il fait trop chaud pour jouer au tennis.
4. Mon frère ne travaille pas assez pour réussir son baccalauréat.
5. Ma grand-mère est trop âgée pour pouvoir rester seule dans son appartement.
6. Cet enfant est assez raisonnable pour aller tout seul à l'école.

B/ 1. Cet enfant n'est pas assez raisonnable pour que ses parents le laissent aller seul à l'école.
2. Il y a trop de bruit pour que je puisse t'entendre.
3. Cette robe coûte trop cher pour que je l'achète.
4. Il n'a pas assez d'expérience pour qu'on lui confie ce poste.
5. Il a assez neigé pour qu'on puisse ouvrir toutes les pistes de la station.
6. Cette piscine est assez grande pour qu'on y organise des compétitions internationales.

CHAPITRE 25 - L'EXPRESSION DU BUT

p. 151 **1.** 1. puissent   3. brûlent   5. ait
2. entende   4. soit, allions 6. ayons

p. 151 **2. A/** 1. pour que/afin que   4. pour que/afin que
2. pour que/afin que   5. de peur que/de crainte que
3. de peur que/de crainte que 6. pour que/afin que

p. 152   **3. A/**   1. ...afin de/pour me faire couper les cheveux.
                        2. ...afin que/pour qu'il me coupe les cheveux.
                        3. ...pour/afin de payer ses études.
                        4. ...pour que/afin que les touristes puissent circuler tranquillement.
                        5. ...pour/afin d'avoir une vue plus large de la politique international.
                        6. ...pour que/afin que les touristes photographient le paysage.

         B/   1. Nous rentrons les géraniums en hiver de peur qu'ils (ne) gèlent.
                    2. Roland se dépêche de peur de manquer son train.
                    3. Jacques n'ose pas dire à ses parents qu'il a abîmé la voiture de peur que son père (ne) se mette en colère.
                    4. Je ne vous ai pas téléphoné hier de peur de vous déranger.

p. 152   **4.**   1. ...pour ne pas être reconnu.
                    2. ...de crainte d'être réveillé par le jour.
                    3. ...de peur d'être critiqué par ses camarades.
                    4. ...pour être admise dans cette école.
                    5. ...pour être regardé mais pour être mangé.
                    6. ...pour être élus.

p. 153   **6.**   1. ...pour la location de cette voiture.
                    2. ...pour l'achat de leur appartement.
                    3. Pour l'assurance de votre voiture...
                    4. ...pour le développement de leurs échanges culturels et commerciaux.
                    5. ...pour la protection contre le froid.
                    6. ...pour le transport des matériaux comme le charbon et le sable.

CHAPITRE 26 - L'EXPRESSION DU TEMPS

p. 155   **1. A/**   1. depuis   3. depuis   5. depuis
                       2. il y a   4. il y a

         B/   1. dès   3. dès   5. dès
                   2. depuis   4. depuis   6. dès

         C/   1. dans   2. en   3. dans   4. en

         D/   1. pour   3. pour   5. pour
                   2. pendant   4. pendant   6. pendant

p. 156   **3.**   D'abord, puis, ensuite, enfin, autrefois.

p. 157   **4. A/**   1. déjà   3. tout le temps   5. quelquefois
                       2. toujours   4. toujours

         B/   1. tout à l'heure   3. tout de suite
                   2. tout à coup   4. tout à l'heure

C/ 1. ce jour-là   2. le lendemain   3. la veille   4. ce jour-là

D/ 1. le dimanche...dimanche dernier...dimanche prochain
   2. le soir
   3. ce soir

p. 157 **5.** 1. chaque jour/une fois par jour
             2. un jour sur deux
             3. un week-end sur deux/tous les quinze jours
             4. tous les mois/chaque mois
             5. toutes les semaines/une fois par semaine
             6. tous les trois jours

p. 158 **7. A/** 1. serons   5. a   9. allais
                 2. réparait   6. resteront   10. passait
                 3. étais   7. voyait   11. fume
                 4. a éclaté/éclata 8. étions   12. sont

      B/ 1. avait fini   4. avions dîné   7. n'aurez pas envoyé
             2. ont pris   5. aurons corrigé   8. auras lu
             3. seront partis   6. s'est arrêté

      C/ 1. devenait/était devenu   4. rentrera/sera rentré
             2. a   5. aurez consulté
             3. obtiendra/aura obtenu   6. a

      D/ 1. eut écrit   2. eut repéré   3. eurent accordé   4. fut rentré

p. 159 **8.** 1. soit   4. partiez
              2. prononciez   5. revienne
              3. soit   6. reprennent/aient repris

p. 160 **9.** 1. a éclaté/éclata   5. traversions   9. reçoive
              2. survolions   6. a obtenu   10. auras appris
              3. vienne   7. refroidisse   11. fait...travaille
              4. suis   8. approche   12. sont...vont

p. 160 **10.** 1. avant que   5. dès que   9. depuis que
               2. à mesure que   6. depuis que   10. dès que
               3. jusqu'à ce que 7. tant que
               4. tant que   8. au moment où

p. 160 **11. A/** 1. Avant la naissance de Caroline...
                  2. ...dès la réception de votre commande.
                  3. En attendant la modernisation de la salle de théâtre...
                  4. ...au lever du soleil.
                  5. Depuis l'invention du téléphone...
                  6. Pendant la discussion de ce projet de loi...
                  7. A notre arrivée à Cannes...
                  8. Dès le retour d'Anne...

B/ 1. Depuis que je suis arrivé(e) à Paris...
    2. Après que vous serez parti(e)(s)...
    3. Dès que le film a commencé...
    4. ...dès que tu rentreras/seras rentré(e).
    5. ...avant que l'avion (ne) décolle.
    6. Pendant que nous étions en Italie...
    7. Chaque fois que vous faites une faute...
    8. Jusqu'à ce que la nuit tombe/soit tombée.
    9. Avant que le Conseil des ministres (ne) se réunisse...
   10. Quand il est sorti de clinique...

C/ 1. Dès que la chasse est ouverte...
    2. Depuis que cette entreprise a été fermée...
    3. Quand l'automne est fini...
    4. Depuis qu'un gisement de pétrole a été découvert...
    5. Dès que les travaux seront achevés sur l'autoroute...

p. 162 **12.**   1. Quand les examens sont terminés...
        2. Une fois que les valises seront défaites...
        3. Une fois qu'il aura été mis au point...
        4. Quand la lumière était éteinte...
        5. Une fois que le spectacle est commencé...

p. 162 **13. A/** 1. Il lit toujours avant de s'endormir.
        2. Au moment où elle allait s'engager sur l'autoroute, elle a entendu...
        3. Demandez-lui son avis avant de prendre votre décision.
        4. Au moment de sortir, je me suis aperçu que...

B/ 1. Au moment où elle allait partir, le téléphone a sonné.
    2. Dépêchez-vous de rentrer avant qu'il (ne) fasse nuit.
    3. Relisez votre dictée avant de me la rendre.
    4. Nous avons pris l'apéritif en attendant que tous les invités soient
       là.
    5. Je coupe toujours un peu les tiges des roses avant de les mettre dans
       un vase.
    6. Au moment de payer, il n'a pas retrouvé son porte-monnaie.

p. 163 **14. A/** 1. Après avoir fait ma rédaction au brouillon, je la recopierai.
        2. Vous répondrez après avoir réfléchi !
        3. Après avoir vu ce film, nous en avons discuté avec des amis.
        4. Après s'être baignés, ils s'allongent sur le sable au soleil.
        5. On descend sur les grands plateaux calcaires des Causses après avoir
           traversé les monts d'Auvergne.

B/ 1. Elle a mis son chandail à sécher sur un cintre après l'avoir lavé.
    2. Les étudiants répètent la phrase après que le professeur l'a lue.
    3. Dès que la cloche sonnait, les élèves se précipitaient dans la cour de
       récréation.
    4. Nous avons soupé chez Maxim's après être allés au théâtre.
    5. Quand l'enfant a terminé sa sieste, sa grand-mère l'emmène au parc
       Monceau.

p. 163 **15. A/** 1. ...en bavardant.   4. ...en marchant sur la plage.
                    2. ...en tricotant.   5. ...en feuilletant une revue.
                    3. ...en travaillant.

        B/ 1. En sortant du métro...   4. ...en s'ouvrant.
                2. En passant devant la poste... 5. En allant à Marseille...
                3. ...en partant.

CHAPITRE 27 - <u>L'EXPRESSION DE L'OPPOSITION</u>

p. 165 **1.** 1. Bien qu'Anne soit grippée...
                2. Bien que Xavier ait étudié l'allemand à l'école...
                3. Bien que les Masson n'aient pas beaucoup d'argent...
                4. Bien que j'aie beaucoup de choses à faire...
                5. Bien qu'il soit 9 heures...

p. 165 **2. A/** 1. soit   4. j'aie déjà vu   7. fasse   10. j'aie eu
                   2. soit   5. soit   8. veuilles
                   3. l'aie arrosée 6. ait déjà fait   9. sache

        B/ 1. fasse   3. aille   5. pensiez
                2. arrive   4. sois   6. soit

        C/ 1. ont écrit   3. a   5. roulais   7. faisait
                2. est   4. doit   6. insistez

p. 166 **3.** 1. bien que   3. tandis que   5. à moins que
                2. sans que   4. quoi que   6. même si

p. 166 **4.** 1. Claire doit travailler malgré sa fatigue.
                2. Malgré ses quatre-vingt-dix ans, mon grand-père...
                3. Nous irons jouer au tennis malgré la chaleur.
                4. La réunion a lieu malgré l'absence du président.
                5. Malgré sa timidité, il a pris la parole en public.

p. 167 **5.** 1. bien qu'   3. bien qu'   5. malgré
                2. malgré   4. malgré

p. 167 **6.** 1. Malgré de grands risques d'avalanche, il fait du ski...
                2. Julien n'arrive pas à trouver de travail en dépit de sa grande expé-
                   rience professionnelle.
                3. Au lieu de regarder la télévision, tu ferais mieux de travailler.
                4. Au lieu d'aller aux sports d'hiver, nous passerons...
                5. Véronique est partie seule en auto-stop malgré l'interdiction de ses
                   parents.
                6. En dépit de longues recherches, le navigateur perdu n'a pas pu être
                   retrouvé.
                7. L'étudiant a répondu à la question sans réfléchir/sans avoir réfléchi.

p. 167 **7.**
1. L'enfant lit sans rien comprendre à ce qu'il lit.
2. Ils ont pris leur décision sans me demander/sans m'avoir demandé mon avis.
3. Ils ont pris leur décision sans que je puisse/aie pu intervenir.
4. M. Lemoine a été attaqué dans la rue sans que personne ose le défendre.
5. Il a été indiscret sans le vouloir.
6. Mon mari a invité les Dupont sans me le dire/sans me l'avoir dit.

p. 168 **8.**
1. Ils étaient très attachés à la maison de leur enfance mais ils l'ont vendue quand même.
2. Le médecin a déconseillé le sucre à ma tante mais elle continue quand même à manger beaucoup de pâtisseries.
3. Ce travail de classement est ennuyeux mais il faut le faire quand même.
4. Je n'aime pas les réunions de famille mais j'irai quand même aux noces d'or de mes grands-parents.
5. Il est interdit de dépasser 130 km à l'heure sur l'autoroute mais Robert roule quand même à 180.

p. 168 **9.**
1. Cette interprétation de la Symphonie fantastique de Berlioz est très belle, cependant je préfère celle de Charles Munch.
2. Le passé simple n'est plus employé dans la langue parlée, pourtant il faut que vous le connaissiez.
3. Mes deux fils ont des caractères très différents mais ils s'entendent bien quand même.
4. L'hiver dernier a été très doux, par contre cette année il y a beaucoup de neige.
5. Tu n'aimes pas beaucoup la peinture surréaliste, va tout de même voir l'exposition du Grand Palais.

p. 168 **10. A/**
1. J'ai beau frotter, je n'arrive pas...
2. Les Dussolier ont beau habiter au bord de la mer, ils ne vont...
3. On a beau interdire de stationner sur les trottoirs, beaucoup de Parisiens le font.
4. Il a beau faire 40° à l'ombre, Anne tient à visiter...

B/
1. Bien que l'élève ait relu sa dictée plusieurs fois, elle y a laissé...
2. Bien que le garçon de café se dépêche, il fait attendre...
3. Bien que le gouvernement ait pris des mesures pour lutter contre le chômage, celui-ci a encore augmenté...
4. Bien que je téléphone souvent à Cécile, je ne me souviens jamais de son numéro.

CHAPITRE 28 - L'EXPRESSION DE LA CONDITION

p. 171 **1. A/**
1. irons
2. irions
3. serions allés
4. a
5. avait
6. avait eu
7. ferez
8. feriez
9. auriez fait
10. avez

B/   1. branche   5. est   9. ai
        2. brancherai   6. était   10. avais
        3. ne dors pas   7. avait été
        4. ne dormirai pas   8. ai

p. 172 **2.**   1. avez   8. aviez insisté
              2. ...nous nous serions   9. nous ne nous étions pas trompés
                beaucoup mieux amusé(e)s.   10. mets
              3. faudrait   11. sauras
              4. avez   12. ferme
              5. apparaît   13. étaient
              6. pleurait   14. comprend
              7. accepterais

p. 173 **4.**   1. sinon   3. sinon   5. sinon
              2. si   4. si   6. si

p. 173 **5.**   1. Si je ne ferme pas la fenêtre, la chatte sortira...
              2. ...Si je ne me couchais pas tôt, je ne pouvais pas...
              3. Si tu ne recouds pas ce bouton, tu vas le perdre.
              4. Si vous n'aimez pas la tarte au citron, j'achèterai...
              5. Si mon frère n'avait pas été en Corée à ce moment-là, il serait
                 venu...
              6. Si vous n'utilisez pas une lessive anti-calcaire, votre machine s'abî-
                 mera.
              7. Si je connaissais quelque chose aux mathématiques, je t'aiderais.
              8. S'il n'était pas myope, il serait devenu pilote.

p. 173 **6.**   1. conduises, rendes   5. ne baisserait pas   9. ne soit pas
              2. n'ait plus   6. aurait   10. dises
              3. complétiez, envoyiez   7. sont
              4. changeriez   8. accepterait

p. 174 **7.**   1. Ce médicament est bien toléré à condition qu'on le prenne au cours des
                 repas.
              2. Au cas où vous perdriez votre carte de crédit, prévenez immédiatement
                 votre banque.
              3. Vous pouvez emporter ce livre pourvu que vous me le rendiez avant la
                 fin du mois.
              4. Je me baignerais même s'il y avait du vent.
              5. Je laisserai les clés chez le concierge au cas où tu arriverais avant
                 moi.
              6. Si vous aviez un garçon, comment l'appelleriez-vous ?
              7. Mon fils ne faisait pas de cauchemars à condition que nous laissions
                 une petite lampe allumée dans sa chambre.
              8. Si le chauffeur avait roulé moins vite, l'accident aurait été moins
                 grave.
              9. Même si cela ne te plaît pas, j'irai.
              10. Si j'avais le temps, je suivrais des cours de théâtre.

p. 175 **8.** 1. En cas de panne d'ascenseur, appuyez sur le bouton...
2. Vous aurez des places au théâtre de l'Odéon à condition de faire la queue...
3. En cas d'incendie, fermez toutes les ouvertures et appelez les pompiers.
4. En cas d'absence du locataire, le facteur pourra laisser...
5. Les enfants sont admis dans ce club de voile à condition de savoir nager.
6. On peut préparer la maîtrise à condition d'avoir la licence.

p. 175 **9.** 1. ...si elle n'a pas ses lunettes.
2. S'il travaillait plus...
3. ...si vous prenez le métro.
4. Si on a de la patience...
5. Si vous lisez tous les jours les petites annonces...
6. Si vous aviez mis de la crème...
7. ...si le professeur n'avait pas donné d'explications.
8. Si tu ajoutais des herbes de Provence...

CHAPITRE 29 - L'EXPRESSION DE LA COMPARAISON

p. 177 **1. A/** 1. Le temps d'aujourd'hui est plus beau/aussi beau/moins beau que le temps/celui d'hier.
2. La vie en France est plus chère/aussi chère/moins chère que dans mon pays.
3. Le vin rouge est meilleur/aussi bon/moins bon que le vin blanc.
4. Les Français parlent plus vite/aussi vite/moins vite que les Italiens.
5. Sophie connaît mieux/aussi bien/moins bien Paris que moi.

B/ 1. Véronique a plus d'amis étrangers/autant d'amis étrangers/moins d'amis étrangers qu'Elisabeth.
2. Mon mari gagne plus d'argent/autant d'argent/moins d'argent que moi.
3. Les garçons font plus de sport/autant de sport/moins de sport que les filles.
4. Cette épicerie a plus de clients/autant de clients/moins de clients que celle-là.

C/ 1. L'hiver dernier, il a plus neigé/autant neigé/moins neigé que cet hiver.
2. Gabriel travaille plus/autant/moins que Michel.
3. Les jeunes voyagent plus/autant/moins que les retraités.

p. 178 **2.** 1. Oui, c'est l'avenue de Paris la plus célèbre./Oui, c'est la plus célèbre des avenues parisiennes.
2. Oui, c'est le restaurant le plus cher du quartier./Oui, c'est le plus cher des restaurants du quartier.
3. Oui, c'est le fromage le meilleur./Oui, c'est le meilleur des fromages.
4. Oui, c'est le pont de Paris le plus ancien./Oui, c'est le plus ancien des ponts de Paris.

5. Oui, c'est la montagne la plus haute d'Europe./Oui, c'est la plus haute des montagnes d'Europe.

6. Oui, c'est le sport le plus populaire./Oui, c'est le plus populaire des sports.

p. 178 **3.**
1. bonne
2. bien
3. meilleure
4. meilleure
5. mieux
6. mieux
7. mieux
8. la meilleure
9. le mieux
10. mieux
11. meilleurs
12. mieux
13. meilleur
14. le mieux
15. les meilleurs
16. mieux

p. 179 **4.**
1. la moindre
2. le plus petit
3. plus mauvais/pire
4. pire
5. la moindre
6. la moindre
7. le pire
8. plus petite
9. le plus mauvais
10. les moindres

p. 179 **5.**
1. de plus
2. de trop
3. de trop
4. de plus
5. de moins

p. 179 **6.**
1. le plus souvent possible
2. le plus vite possible
3. le plus lisiblement possible
4. le plus clairement possible
5. le plus doucement possible

p. 180 **7.**
1. Oui, elle parle de mieux en mieux.
2. Oui, il coûte de plus en plus cher.
3. Oui, elle va de mieux en mieux.
4. Non, nous les voyons de moins en moins.
5. Oui, ils en consomment de plus en plus.
6. Oui, il y en a de plus en plus.
7. Non, il y en a de moins en moins.
8. Oui, elle est de plus en plus peuplée.

p. 180 **8.**
1. plus rapide/plus cher
2. plus cher
3. un peu plus/un peu moins d'essence
4. aussi bons/moins bons
5. mieux
6. le plus connu/le plus célèbre
7. autant
8. le plus long
9. plus de
10. le plus pratique/le moins cher
11. le meilleur
12. moins bien/mieux

p. 181 **9.**
1. L'examen a été plus difficile que je (ne) le pensais.
2. Il a fait moins beau qu'on (ne) l'espérait.
3. Elle a été plus longue que nous (ne) le pensions.
4. Il y a plus de choix que je (ne) le pensais.
5. Elle a coûté plus cher que l'horloger (ne) me l'avait dit.
6. J'ai mieux réussi mes épreuves de mathématiques au baccalauréat que je (ne) l'espérais.

p. 181 **10. A/** 1. fais 2. avais dit 3. voudras 4. préférez

p. 182 **12.** 1. Non, elle ne mène pas la même vie que la femme des années 1900./Non,
             elle mène une autre vie que la femme.../Non, elles mènent des vies
             différentes.

        2. Non, il n'a pas vécu à la même époque que Voltaire./Non, il a vécu à
           une autre époque que Voltaire./Non, ils ont vécu à des époques diffé-
           rentes.

        3. Non, il n'a pas les mêmes idées politiques que moi./Non, il a d'autres
           idées politiques que moi./Non, nous avons des idées politiques diffé-
           rentes.

        4. Non, je n'ai pas le même caractère que mon père./Non, j'ai un autre
           caractère que mon père./Non, nous avons des caractères différents.

        5. Non, Benjamin n'a pas le même âge que Rémi./Non, Benjamin a un autre
           âge que Rémi./Non, ils ont des âges différents.

        6. Non, ils ne portent pas le même nom que moi./Non, ils portent un au-
           tre nom que moi./Non, nous portons des noms différents.

p. 182 **13.** 1. plus...plus   3. plus...plus   5. plus...plus
             2. plus...moins   4. plus...moins   6. moins...moins

p. 182 **14.** A. comme un poisson   D. comme quatre   H. comme la pluie
                dans l'eau   E. comme un singe   I. comme un i
             B. comme bonjour   F. comme ses pieds   J. comme une pie
             C. comme deux   G. comme les blés
                gouttes d'eau

p. 183 **1.** 1. la, les/leurs, un
2. les, une, sa, l', l', de, la, la, ses, son
3. ce, une, d'une. l', une, l', le, les, la. cette, les, leurs.
cet, la, d'une.

p. 183 **2.** 1. La leur est plus verte que la nôtre.
2. Les miens sont plus âgés que les leurs.
3. Le sien est moins sévère que le mien.
4. Le leur est d'une plus grande taille que le tien.
5. La tienne paraît plus simple à réaliser que la sienne.
6. Les leurs ne sont pas les mêmes que les vôtres.

p. 184 **3.** 1. dont. celles, en
2. toi, ceux. ils. celui-ci, celui-là
3. quelques-uns, les autres/d'autres
4. personne, le, lui
5. se, où, les. d'où. que, nous. rien. que, leur, eux
6. qui, ceux. ce, c', nous.

p. 184 **4.** 1. La lettre que j'ai reçue de Camille m'a fait plaisir.
2. Le mannequin qui a présenté la collection d'hiver mesurait 1,80 m.
3. La fête dont l'ambiance était sympathique a duré jusqu'au matin.
4. Le club de tennis dont je fais partie organise un tournoi samedi pro-chain.
5. L'enfant montrait le jouet dont il avait envie.
6. L'ami avec qui nous partirons en croisière est un passionné de la mer.
7. Il a ouvert un tiroir au fond duquel il a trouvé un paquet de vieilles lettres.
8. La conférence à laquelle nous avons assisté hier était très inté-ressante.
9. La ville où/que j'habite n'a pas d'université.
10. Le vin que vous avez commandé vous sera livré à domicile.

p. 185 **5.** 1. Ils veulent bien venir avec nous.
2. Les médecins espèrent trouver bientôt...
3. ...il passe son temps à jouer...
4. Le dimanche matin...
5. A la télévision...sur la musique.
6. ...habite rue des Ecoles.
7. ...un billet de 500 F dans la rue.
8. Il marchait les mains dans les poches.
9. Je n'aime pas marcher sous la pluie.
10. ...j'ai préféré prendre une escalope à la crème.

p. 185 **6.** 1. Arrête de crier...
2. Claude a arrêté ses études...
3. J'ai essayé dix montures...
4. J'essaierai d'être...
5. Nous avons choisi une moquette...
6. ...qui as choisi d'être hôtesse de l'air...
7. ...a refusé d'augmenter...

8. Pourquoi refuses-tu
ma proposition ?

9. Il cherche à se rappeler...

10. Il cherche l'un de ses gants...

11. ...commences-tu ton stage...

12. ...commencer à ravaler...

p. 185 **7.**
1. soit
2. sera
3. paieraient
4. paient
5. se produise
6. se produira
7. n'a pas encore
8. n'ait pas encore
9. pourra
10. puisse

p. 186 **8.**
1. va construire
/a construit
2. construise
3. est
4. soit
5. s'améliore
6. s'améliorera
7. était arrivé
8. soit arrivé
9. aient su
10. ont su

p. 186 **10.**
1. ...à condition que votre médecin vous le permette/à condition d'avoir un certificat médical.
2. ...avant de commencer à jouer/avant que le concert commence.
3. ...pour poser sa candidature/pour qu'on examine ses qualifications et son expérience.
4. ...de peur qu'il (n') y ait une erreur de numéro/de peur de se tromper.
5. ...sans qu'il sache rien/sans le prévenir.
6. ...en attendant de partir/en attendant que l'avion parte.
7. ...au moment où on lui a demandé de payer/au moment de payer.
8. ...après avoir eu leur troisième enfant/après que leur troisième enfant est né.

p. 187 **11.**
1. Comme Julien et Mathilde aiment danser, ils vont.../Julien et Mathilde aiment tellement danser qu'ils vont...
2. La terre et les prairies sont sèches parce qu'il n'a pas plu cet été./Il n'a pas plu cet été si bien que la terre...
3. Comme cette femme a beaucoup de charme, on ferait.../Cette femme a tant de charme qu'on ferait...
4. Marcel a changé les pneus de sa voiture parce qu'ils étaient trop lisses./Les pneus de la voiture de Marcel étaient trop lisses si bien qu'il les a changés.
5. Etant donné que le mistral souffle très fort dans la vallée du Rhône, on a planté.../Le mistral souffle si fort dans la vallée du Rhône qu'on a planté...
6. Comme cette entreprise de micro-informatique a pris un grand développement, elle emploie maintenant plus de 500 personnes./Cette entreprise de micro-informatique a pris un tel développement qu'elle emploie...
7. Comme les prépositions par et pour se ressemblent, les étrangers les confondent souvent./Les prépositions par et pour se ressemblent de sorte que les étrangers les confondent souvent.
8. Dans les grandes villes, beaucoup de gens s'inscrivent à des clubs de loisirs parce qu'ils se sentent seuls./Dans...beaucoup de gens se sentent seuls si bien qu'ils s'inscrivent...

p. 188 **12.**
   1. Bien qu'il pleuve.../Malgré la pluie.../Il a beau pleuvoir, le match de football continue./Il pleut mais le match continue quand même.

   2. Quoique le pont ait été élargi.../En dépit de l'élargissement du pont .../Le pont a beau avoir été élargi, la circulation reste difficile./ Le pont a été élargi, pourtant la circulation reste difficile.

   3. Bien que Marguerite fasse des efforts.../Marguerite a beau faire des efforts.../Malgré ses efforts, Marguerite est incapable de skier convenablement./Marguerite est incapable..., cependant elle fait des efforts.

p. 188 **13.**
   1. ...parce que les étudiants n'ont pas bien compris/pour que les étudiants comprennent bien.

   2. ...pour qu'il sèche/parce qu'il est tout mouillé.

   3. ...parce qu'ils ont l'intention d'aller.../pour qu'ils puissent aller camper...

   4. ...parce qu'il est illisible/pour que je le lise plus facilement.

   5. ...parce que les enfants veulent se dégourdir.../pour que les enfants se dégourdissent...

p. 189 **17.**
   1. Pendant que le professeur parlait, les étudiants...

   2. Chaque fois que quelqu'un passe devant la porte, le chien...

   3. Comme nous avons des goûts communs, nous...

   4. Bien que nous n'ayons pas les mêmes idées politiques, nous...

   5. Puisque tu crois toujours avoir raison, il...

   6. Au moment où Michel tournait la clé, le téléphone...

   7. ...pour qu'il la lise.

   8. ...on parle le français parce que ce sont...

   9. Dès que la fin de l'entracte sonnera, les spectateurs...

   10. Si nous habitions à la campagne, nous...

p. 190 **18.**
   1. ...dans le Midi de la France parce que le climat est méditerranéen.

   2. S'il avait commencé à étudier le violon plus jeune, il...

   3. ...des notes de frais pour que son entreprise le rembourse.

   4. Depuis que Nina est arrivée en France, elle...

   5. ...sans que son maître s'en aperçoive.

   6. Bien que Pierre et Paul soient jumeaux, ils...

   7. A mesure que l'avion prend de l'altitude, l'atmosphère devient plus claire.

   8. Au moment où les soldats s'approchaient du camp, ils...

   9. Quoique cette dame soit complètement aveugle, elle...

   10. Une fois que le bébé aura pris son biberon, vous...

p. 190 **19.**
   1. Depuis que le Traité de Rome a été signé en 1951 par six pays européens...

   2. Bien que cette course automobile soit dangereuse...

   3. ...comme le décalage horaire est important...

   4. Quand il faisait doux...

   5. Au cas où vous auriez des maux de gorge...

   6. Avant qu'on le restaure...

   7. Depuis qu'il a été restauré...

   8. ...de peur que le vent (ne) nous gêne.

9. Lorsque l'été est fini...

10. ...pour qu'on aménage de nouveaux espaces verts.

11. Bien que ce restaurateur de tableaux soit très habile...

12. S'il s'entraînait plus...

13. ...parce qu'il y avait un service d'ordre très bien organisé.

14. ...parce qu'il manquait de preuves.

15. Pendant que nous passions le col du Grand-Saint-Bernard...

p. 191 **20.**

1. Quoique l'énergie nucléaire présente des dangers, beaucoup de pays...

2. Bien que j'aie arrosé la pelouse, elle...

3. C'est le jour du sabbat si bien que beaucoup de magasins de ce quartier sont fermés.

4. Dès que l'averse aura cessé, les touristes...

5. Il pleuvait à verse si bien que les touristes...

6. Depuis que le "Concorde" a été mis en circulation, la durée...

7. Aussitôt que j'aurai reçu de Hollande les oignons de tulipes que j'ai commandés, je...

8. A mesure qu'on rend les livres à la bibliothécaire, elle...

9. Maintenant que tu n'as plus de fièvre, tu...

10. L'explosion a eu lieu au moment où l'avion allait décoller.

11. Les rues de mon enfance avaient tellement changé que je ne les reconnaissais plus.

12. Jean allait souvent chez les Blanchart quand/alors qu'il faisait son service militaire à Metz.

p. 191 **21.**

1. Quand elle a entendu sonner, Marie...

2. Comme vous avez heurté le trottoir, vous...

3. ...parce qu'il faisait de la plongée sous-marine...

4. Vous l'avez vexé parce que vous avez refusé son invitation.

5. Si vous refusiez son invitation, vous...

6. ...quand nous avons vu la queue devant le cinéma, nous...

7. J'ai rencontré tante Adèle alors que je faisais des courses...

8. Quand tu vérifieras la facture du garagiste, tu...

9. Si je lui envoie cette lettre avant la dernière levée, je...

10. Si vous composez le 17.89.18.15, vous...

11. Comme vous êtes arrivé(e)s en retard au théâtre, vous...

12. Si vous arrivez en retard au théâtre, vous...

13. Si vous arriviez en retard au théâtre, vous...

14. ...parce que j'ai mis en marche simultanément...

p. 192 **22.**

J'allais (habitude), restais (habitude), avait connu (antériorité), c'était (description), arrivais (habitude), avait allumé (antériorité), éclairait (description), tombait (description), crayonnais (habitude), découpais (habitude).

p. 192 **23.**

Rejoignit (événement accompli), était (description), se dirigeait (description), sort (vérité générale), remarqua (événement accompli), pénétra, s'assit, commanda (succession d'événements), avait (description), paraissait (description), voyait (description).

p. 192 **24.** Le client s'approcha du chauffeur de taxi et lui demanda s'il était libre. Le chauffeur lui demanda alors où il voulait aller. Le client répondit qu'il allait à l'aéroport Charles-de-Gaulle et qu'il était très pressé car il avait un avion à prendre. Le chauffeur lui dit de monter vite et ajouta que, s'il n'y avait pas d'embouteillages, ils y seraient vingt-cinq minutes plus tard. Le client lui demanda ensuite s'il pouvait fumer. Le chauffeur lui répondit qu'il préférait qu'il ne fume pas car il était allergique à l'odeur du tabac.

NOTES:

NOTES:

Imprimé par Mame Imprimeurs à Tours
Dépôt légal 1588/11/1992 – Collection 23 – Édition 03
15/4855/1